だいわ文庫

人類誕生から未来まで一気読み！

最速で身につく世界史

角田陽一郎

大和書房

はじめに〃世界史の話〃

――なぜテレビプロデューサーが世界史の本を作ったのか？

皆様はじめまして。角田《かくた》陽一郎《よういちろう》と言います。
TBSテレビに1994年に入社して、**いわゆるバラエティ番組を作ってきました。**

1997年に『さんまのスーパーからくりTV』でディレクターに昇格し、2001年には『中居正広の金曜日のスマたちへ』をチーフディレクターとして立ち上げました（～2006年担当）。その後数々の特番を作りながら、プロデューサーとして2006年に明石家さんまさんと『明石家さんちゃんねる』を制作（～2008年）、2010年からはEXILEと『EXILE魂』を制作（～2012年）。

その間にはgoomoというネット動画配信会社を立ち上げたり（2009年～2012年）、携帯アプリを作ったり、2013年には『げんげ』という映画を初監督したり、本を何冊か出版したりもしました。

テレビのバラエティ番組のプロデューサーですが、現在はまさにテレビを超えてバラエティにプロデューサーとしていろいろやっております。

そんな**テレビマンの僕がなぜ世界史の本を作ったのか？　それは、一言で言ってしまえば、「世界史とはバラエティである」から**です。

——●歴史を学べば、何でも知ることができる

そもそも子どもの頃から、とりわけ歴史好きだったのかというと、そうではありません。実は僕は〝何でも〟好きな子どもでした。嫌いなものがなかったのです。今でもそうなのですが、何かを〝嫌う〟ということの意味が、よくわからないのです。家でテレビを観ていても、親と話していてもそうですし、何か行事があればすぐに参加したがったそうです。何でも知りたいという知的好奇心が人一倍強かったみたいです。

そしてその知的好奇心は雑食です。バラエティに富んでいます。もう何でも知りた

いのです、何でも食べたいのです。もうくだらないと言えるジャンルでも、逆にめちゃくちゃ高尚《こうしょう》と言われるジャンルでも、そこに優劣などつけずに、ただ面白いことをいっぱいいっぱいいっぱい知りたいし、いっぱいいっぱい経験したいのです。

それは趣味の分野だけでなく、学校のいろんな教科でもそうでした。この教科は好きとか、この教科は嫌いとか全くなくて、もうあらゆる教科を学びたいのです。テレビで流行っているくだらないと言われる深夜のエッチな番組をこっそり観ることと、学校で習う難しいと言われるみんなが苦手な〝数学〟を勉強することも、僕にはほとんど優劣なく興味があったのでした。

やがて高校生になりその後の進学先を決める際、そんな〝雑食〟な僕の〝知的好奇心〟を満たす学問は一体何なのだろうか？と漠然と考えていると、「歴史」なんだと思い至ったのでした。

なぜなら**「歴史」とは「あらゆるジャンルで、今まで何がどういう風に起こったのか」を研究する学問だからです。**〝物理〟が知りたければ「物理の歴史」を学べばよいし、〝映画〟に興味があれば「映画の歴史」を研究すればよいし、〝ビートルズ〟が好きならアルバム1枚目からどういう変遷《へんせん》を経てきたかの「ビートルズの歴史」を調べればいいのです。

「歴史を学べば、何でも知ることができる！　何に興味を持ってもいいんだ！」と、そのバラエティな雑食性に気付いたわけです。

――●世界史とはバラエティである

歴史は学校の選択科目では〝日本史〟と〝世界史〟に分かれていますが、迷うことなく世界史を選びました、日本も世界の一部だから、「世界史を取っておけば、日本史を学んでもいいんだ！　むしろお得だなあ」と考えていたわけです。日本史と世界史のどちらを選択する？ということではなく、日本史も知りたいから世界史を選択したのでした。

高校2年生の時、この際、中公文庫の『世界の歴史』全16巻（旧版）を全部読もうと思いました。1巻から読み進めていくと、歴史を知るという〝発見〟の意味で最初は面白かったのですが、特に10巻目の「フランス革命とナポレオン」はそれ以上に面白かったのです。歴史事実を知るという〝発見〟の面白さを超えて、1789年に始まるフランス革命やその後のナポレオンの時代の人々のダイナミックな動きのストーリー展開に熱く魅了されてしまいました。例えば、『機動戦士ガンダム』の地球連邦軍とジオン公国の闘いは、モビルスーツ同士のメカの魅力を超えて敵味方の人間たちのストーリー展開が見所だと思うのですが、フランス革命における各派閥の争いには決してモビルスーツは登場しないものの、それ以上のストーリーが展開されるのです。なのに、学校の同級生はアニメの中の宇宙世紀の地球連邦軍VSジオン公国の盛衰《せいすい》は楽しそうに語り、教科書の中の18世紀のナポレオンVSイギリス軍の盛衰は、教科書に載っているというだけで〝難しい〟と敬遠するのです。なんてもったいないんでしょう！

そんなわけで、**東京大学文学部に進学し、西洋史学科で「フランス近代史」を専攻**したのでした。卒論のテーマは「独裁者ナポレオンの登場はフランス革命の一部なのか？」。フランス革命に限らず世界のほとんどの革命は、独裁者を倒して民衆が権力を奪還《だっかん》するという理想で勃発《ぼっぱつ》するのに、結局また最後には新たな独裁者を生んでしまう傾向があり、「せっかくダイエットしてもリバウンドしちゃう」みたいな〝歴史のやるせなさ〟というか〝人間の弱さ〟の真意を知りたいと思ったのがきっかけです。

そして、「このまま大学に残り歴史学者になりたいなあ」とか若干は思いつつ、就職活動で結局テレビ局を選ぶわけです。サークルでは演劇をかじったこともあり、エンターテインメントの方向にも惹《ひ》かれたからです。いろんなジャンルに興味が行きがちだったことも理由にあります。

「テレビという仕事を選べば、多ジャンルを扱うことができるし、くだらないことも高尚なこともどっちもやれるから魅力だ」とも思ったのでしょう。そしてその希望が最も実現するのが、僕にとってはバラエティ番組なのでした。

「バラエティとは〝いろいろ〟という意味です。まさに〝多様性〟です。いろんなことを、いろんな視点から、いろんな角度で見ることなのです。

そして**バラエティ番組は、まさにいろんなことを扱います。いろんなことをわかりやすく視聴者にお伝えしなければなりません。自分が興味を持ったことを、いろんな企画や演出で味付けして、相手に伝える仕事**なのです。ということは、どんなに面白いことを経験したって、それが相手にちゃんと伝わらなければ、番組として成立しません。

「僕がこれまでやってきたバラエティ的なやり方で、世界史にも企画や演出でいろん

な味付けをして、世界史の本を作ってみよう！　そうしたら、歴史が苦手な人にもとっかかりになるような読みやすい世界史の本ができるのではないか？」

そんな思いでこの本を作りました。

——•世界史を最速で身につける

バラエティ番組は、毎週放送があります。**今起こったことや流行ってることを、瞬時に理解していただくために、どう表現すると皆さんに伝わるか？**　僕らテレビスタッフは始終考えています。そして放送時間は限られています。1時間なら1時間で、その伝えたい情報をわかりやすく構成・編集しなければなりません。まさに**情報を〝最速で身につける〟のがバラエティ番組**なのです。

この「最速で身につく」という観点で、世界史を構成・編集したのが、本書『最速で身につく世界史』です。細かい歴史記述や年号はこの際すっとばして、皆さんがまず世界史を学ぶ前に知っておいた方がよい歴史背景や考え方の説明に主軸を置きました。それを**「文明」「戦争」「お金」などの24＋1（文庫版書き下ろしの「環境」）＝25の**

キーワードで、人類の誕生から未来の話まで時系列で記述しました。

ですから、もしこの本を読んで、「あっ、この時代面白い！」とか少しでも興味を持ったら、むしろその先を自分で調べていただきたいのです。今は、スマホもパソコンもあります。ちょっとでも気になったら、すぐにインターネットで調べられる時代です。詳しい史実は後からちゃんと学べばいいじゃないですか？　まずは世界史の面白さを知って欲しいのです。

この本が、まさに**皆さんの人生にとって〝とっかかりの世界史の本〟**になっていただけたら、こんな光栄なことはありません。

角田陽一郎

第6講

商人の話

実はイスラム教は、合理的で寛容な宗教である。

7世紀〜13世紀／イスラム帝国

第7講

中華の話

中国を見ることで、その他の国の見方まで変わってしまう。

紀元前3世紀〜3世紀／秦・漢帝国

第8講

民族の話

民族や文化の違いで差別する愚かさに気付く話をします。

4世紀〜14世紀／ヨーロッパ

第11講 発見の話

「発見」とは未知が既知になるだけ。
でもその威力は偉大である。

11世紀〜16世紀／ヨーロッパ、アメリカ、アフリカ、日本

第12講 芸術と科学の話

法則がシンプルで美しければ、
科学的に正しいとなってしまう!

14世紀〜17世紀／ヨーロッパ

第13講 国家の話

国の種類はたった二つしかない。

1万年前〜現在／全世界

第14講 約束の話

「誠実に約束させることが、戦争を生む」という悲劇。

15世紀、16世紀／ヨーロッパ、アメリカ

第15講 理想の話

ある人にとっての「理想」は、別の人にとっては「脅威」となる。

17世紀、18世紀／イギリス、アメリカ

第16講 革命の話

ダイエットとリバウンドを繰り返す「革命」によって人類は進化する。

18世紀、19世紀／ヨーロッパ、日本

第17講 産業の話

技術革新や発明が、生活時間、行動範囲、芸術までも変化させた。

16世紀〜19世紀／ヨーロッパ

第21講 イデオロギーの話

社会主義成功のカギを握るのは、イデオロギーにあらず。

20世紀／全世界

第25講 環境の話

歴史を学ぶとは、環境を考えることだ。

人類誕生〜未来／全世界

第1講

20万年前～1万年前／全世界

文明の話

四大文明はなぜ「乾燥地帯」で生まれたのか？

世界史は「差別」と「差別との戦い」の繰り返し

そもそも、世界史はいつから始まるのでしょうか？　人類はいつから人類なのでしょうか？　諸説ありますが、約20万年前には今の人類ホモ・サピエンスの共通の祖先が、東アフリカの大地溝帯と呼ばれる場所にいたと言われています。

約20万年前という根拠は、ミトコンドリアDNAを扱った生物学の研究論文に書かれています。人類の祖先をたどっていくと「ミトコンドリア・イブ」と呼ばれる一人の女性のDNAに行きつくのですが、その女性が約20万年前に東アフリカで誕生したそうです。

そして約6万年前に人類は、そこから世界各地に広がったとされてます。ということはざっくり計算しても、人類は14万年もアフリカにいたわけです！

第1講で伝えたいのは、**我々人類は共通の祖先から世界史が始まった**という〝事実〟。今は肌の色も言語も違いますが、そうなったのは長い世界史では比較的最近のことなのです。これを〝アフリカ単一起源説〟と言います。でもこの説自体が主流になったのは、ここ何十年です。それまでは、「こんなに肌の色が違うんだから、奴らの方が猿に近いに決まってる」というような〝多地域並行進化説〟の考えもありました。「人種差別は決してあってはならないことです」という現在の考えには、そもそも〝人種差別する意味を科学的には何も見出せない〟という根拠が関係しています。

しかし、そうなったことも人類の長い世界史の中では、ほんのつい最近のことなのです。差別することの方がスタンダードの時代が、世界史上長く続いたことも僕たちは忘れてはなりません。**世界史は〝差別の歴史〟であり、同時に〝差別との戦いの歴史〟でもあります。**人は長く続いた偏見や慣習に引きずられがちです。そうならないためにも僕らは世界史を知る必要があるのです。

世界史は
人類の長い長い旅によって生まれたもの

ではなぜ人類はアフリカの大地溝帯から世界各地に広がったのでしょう。

人類は狩猟・採集をしながら移動を続けたと言われています。当時は地球環境が寒冷化していました。**今いる場所が住みにくくなれば、別の場所に移動せざるを得ません。**ミトコンドリア・イブの子孫たちは、今いる場所が住みにくくなると次の場所に移動する。それを徐々に何世代も繰り返し、アフリカを飛び出しました。

そしてユーラシア大陸にたどり着くと、あるグループは西のヨーロッパ方面へ、またあるグループは東の中国方面へと旅したわけです。さらにこの頃は氷河期で、海水面が今より約13メートルも低かったので、シベリアとアラスカは地続きでした。そして日本も大陸や朝鮮半島と地続きで、日本海は湖でした。だから大移動が起きたのです。人は移動する必要があると移動するし、移動が容易だと移動するものなのです。

途中で中国や日本にたどり着いたのは約4万年前。さらに北上し、ベーリング海峡を渡って北米にたどり着いたのが1万5千年前。南米の最南端に到着したのが1万年前と言われています。さらに太平洋を船を漕いで渡ったツワモノたちがオーストラリアやオセアニアの島々にも到達し、ハワイ諸島にたどり着いたのが約1000年前と言われています。

この話を聞いてると1000年前が最近に感じませんか？　歴史を考える上で、こ

●グレート・ジャーニーの旅の地図

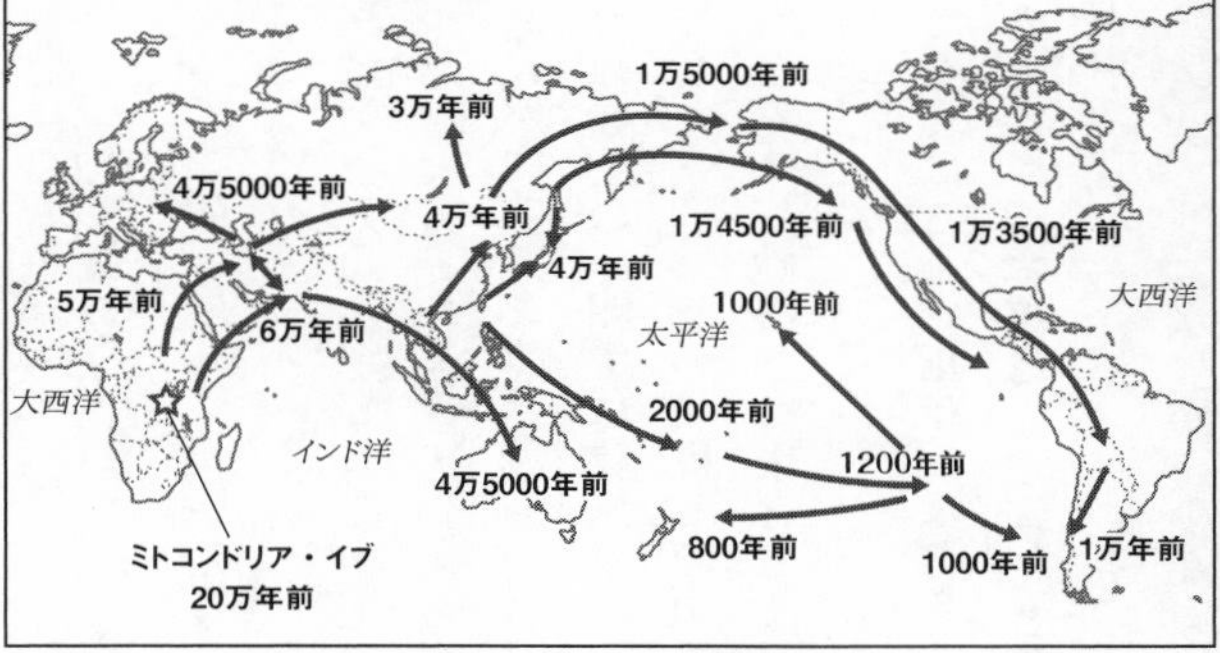

の時間感覚の意識はすごく大事なことです。このグレート・ジャーニーと呼ばれる人類の〝長い旅〟……。そう、**世界史というのは人類の〝旅の歴史〟でもある**のです。

硬い書物を読んでいろいろ暗記するんだというつまらない偏見は捨てて、僕たち人類は長い旅をしてきたと感じることから世界史に接してください。世界史に興味が湧きますから。

この人類の旅は、その後も世界史の中で様々な原因で何度も何度も起こり、現在も起こっています。現在、シリア人が内戦により国外脱出を図り難民としてヨーロッパ各地に大量に押し寄せていることも、まさにそんな移動の歴史なのです。

四大文明が生まれた場所は〝砂漠〟ではなく〝沙漠〟

移動した人類が定着した土地のいくつかでは、文明が起こります。皆さんが学校で習った四大文明のエジプト文明、メソポタミア文明、インダス文明、黄河文明です。

それが約1万年前。最後の氷河期がこの頃終わり、地球は温暖化に向かい、北緯20度から40度の範囲では乾燥が進みました。特に西アジアと北アフリカでは砂漠が広がりました。サハラ砂漠はその頃までは砂漠ではなく草原だったのです。

ちなみに、砂漠というとどんな風景を思い浮かべますか？　一面〝砂〟の風景ですよね。

でも実はこれ、正しくはありません。**砂漠というのは今の常用漢字で〝砂漠〟と書くのですが、本来は〝沙漠〟と書く**のです。〝沙〟が以前は常用漢字ではなかったことから、〝砂〟が代用文字として使われただけなのです。〝石〟が〝少ない〟と書いて〝砂〟ですが、〝水〟が〝少ない〟と書いて〝沙〟。そして〝漠〟は、何もなくてどこまでも広いということ。つまり、水も何もない広い土地こそが〝沙漠〟というわけです。ですから、皆さんがイメージする砂が一面に広がる〝砂漠〟は、この砂という漢字で増幅されたイメージです。

もちろん砂がある沙漠もありますが、荒地が延々と続くのが本来の沙漠と言っていいでしょう。そんな過酷なところでは、我々人類は普通は生きのびられないはずでした。

文明なんて〝たまたま〟起きるものなんです

しかし先ほどの**四大文明は全て乾燥地帯で起こっています。**なぜなのでしょうか？それは、**この氷河期が終わった1万年前に農耕と牧畜という「農業革命」が、その乾燥との闘いの中で始まったから**なのです。

想像してみてください。食糧を求めて人類は狩猟・採集をしながら旅を続けました。そして行き着いた先がすごく温暖で湿潤で、もう食糧がいっぱいだったらどうでしょうか？　恐らく快適すぎてずーっと狩猟と採集をしているんじゃないでしょうか。

そして、そういう快適な場所が、まさに我らが〝日本列島〟でした。日本ではこの時期に独自の文明が起こらず、**縄文時代が紀元前2世紀頃という比較的新しい時代まで長く続いたのは、恵まれすぎた環境だったから**なのです。この〝日本は恵まれすぎた環境〟というのも、世界史の中の日本を知る上で重要なポイントです。

そんな過酷な乾燥地帯は、この四大文明の生まれた地域以外にもたくさんあるのですが、なぜ、乾燥地帯のこの四つの周辺で農耕が生まれたのでしょうか？

それはそこに、**乾燥に耐えうる、最適な栽培種の野生種が〝たまたま〟繁殖していたから**なのです。その乾燥に適した栽培種、それはムギとアワ。大地溝帯を北上した先の北端のヨルダン渓谷に生えていたのがムギで、それがそのまま東のメソポタミアやがてインダスへ、そして西のエジプトに伝えられました。そして黄河流域で生えていたのがアワです。それらを栽培することで〝農耕〟が始まりました。

畑でムギやアワが育てられると、それを食べたのは人類だけではありません。そこにヒツジ、ヤギ、ウシ、ウマ、ラクダが群がってきます。人類は、**群がってきた動物たちを追い払うのではなく、むしろ飼い始めたのです。それが〝牧畜〟の始まりです。**

たまたまたどり着いた場所の付近に、たまたま乾燥に強い植物があった……。なので、その近辺で文明が生まれた。この〝たまたま〟という偶然感は、教科書ではなかなか触れられない世界史の醍醐味です。

アフリカの大地溝帯を出発した人類はこうして、旅立った場所で、農耕と牧畜を始め、やがて文明が誕生しました。

アフリカで文明が発達しなかったのはシマウマの気性が荒かったから!?

なぜもともと存在したアフリカ中央部では、文明が誕生しなかったのでしょうか？ジャレド・ダイアモンドのベストセラー『銃・病原菌・鉄』では次のように解説しています。

人間が家畜化できる大型動物は実は限られていて、著者によると、家畜化の候補となりうる陸生の大型草食動物は、地球上に148種類で、そのうち人類の歴史で実際に家畜化されたのは14種だけだそうです。特に先に挙げたヒツジ、ヤギ、ウシ、ウマ、ラクダがメジャーな5種類で、この**家畜がいたから人類は文明化を達成できた**のです。

でもアフリカは野生動物の宝庫ですよね。草食動物に限ってみてもゾウやカバやキリンやシマウマがいます。でもそれらは「繁殖能力」的に飼育しにくかったり、カバなんておっとりして見えますが実は毎年死者を出すくらいの猛獣です。特にシマウマは気性がとても荒くて、ウマのように人が騎乗して乗りこなすことは難しいらしいのです。

つまり、もしカバが温和な性格でシマウマがやさしかったら、アフリカで独自の文明が発達してその後も欧米列強に植民地化などされず、今では先進地域になっていたかもしれない。

たまたまウマは気性が穏やかで、たまたまシマウマは気性が荒かったから……。そんな単純な理由で、文明の起こった場所が決まったなんて！　そう考えると世界史って、なんて偶然に左右されているものなんでしょうか？

第2講

1万年前〜紀元前11世紀／四大文明の地域

水の話

その地域のルールや
文化の特色は、
水によって決まる。

四大文明は現代社会をも作ってしまった

乾燥地帯にあった**四大文明に共通するもう一つの条件は、すべて大河の流域に存在したという点**です。それは**乾燥地帯にたまたま自生していた植物を農耕するためには、「水」を確保する必要があったから**です。

・エジプト文明はナイル川
・メソポタミア文明はチグリス川とユーフラテス川
・インダス文明はインダス川
・黄河文明は黄河

この「文明は大河の周辺に生まれる」というのは、とても重要です。要するに飲むためにも食糧を生産するためにも「人類は水がないと生きていけない」ということなのです。

なので、川だけでなく地下水が豊富なオアシスなども含め、地球上の真水が確保で

●四大文明の様子

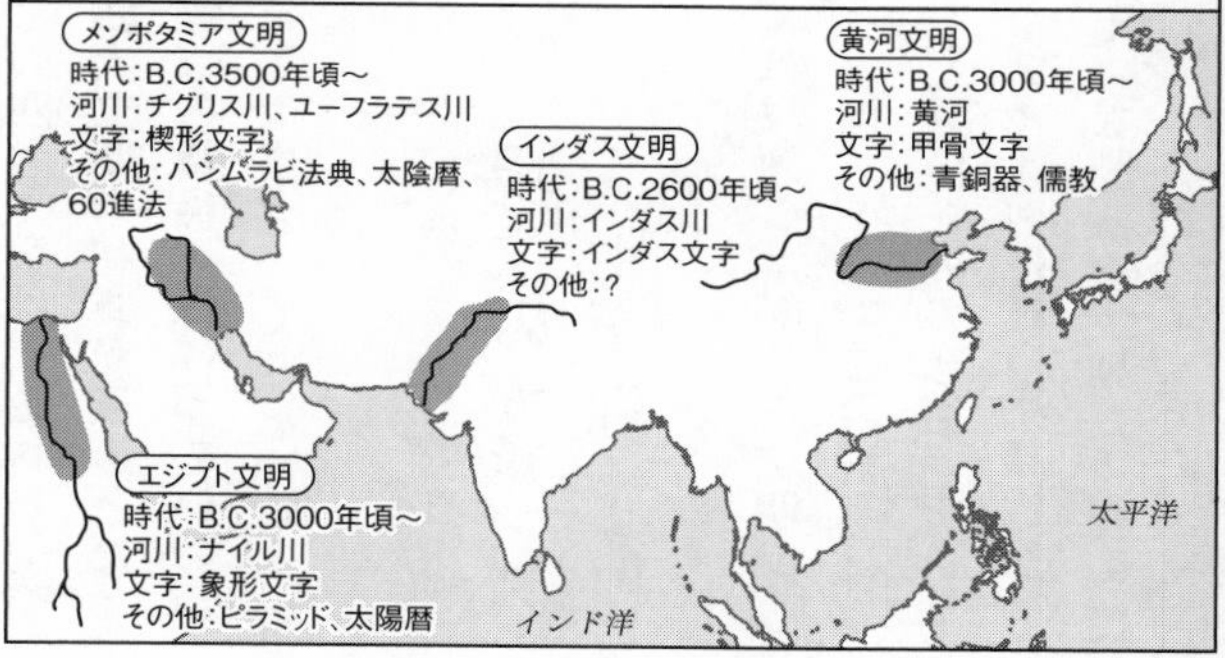

きる場所に人は集まり、農耕をし、やがてそこに〝都市〟が誕生します。そしてその水を確保できる場所に人が集まると、他の水がない場所に水を供給する「灌漑《かんがい》」や、逆に水がありすぎて起こる洪水などから守るための「治水」という、みんなで一緒に力を合わせてやる人工的な大規模な共同作業が必要不可欠になります。そしてそのためには、取り仕切る指導者＝王が必要です。

言い換えれば、戦争とは水が確保できる場所の争奪戦であり、政治とは、確保した水を灌漑し治水する施策なのです。現在でももちろんそうで、いや21世紀を迎えてこれまで以上に「人類はいかに水（きれいな淡水）を確保するか？」が至上命題になってきています。

この四大文明は、教科書で習う最初の古代の話だけだと思われがちですが、実はこの**四大文明の特質が源流となって、その後の世界史、ひいては現代までにもつながる各地域の特徴を形作っている**のです。この最初の四つの地域で生まれたそれぞれの特性をまずはざっくりとでも理解することが、世界史を学ぶ人にとってとても重要です。

現代のカレンダーの元は5千年近く前にエジプトで誕生していた

では早速、エジプト文明から見ていきましょう。

古代エジプトでの現地名は「ケメト（黒い土地）」と言いました。西側に広がる荒涼とした砂漠＝死の領域「デシェレト（赤い土地）」に対する、生者の地である東側の肥沃なデルタ地帯を指す呼称が、やがて国を表すようになったものです。なぜエジプトはそんな肥沃な土地だったのでしょうか？　それは、まさにナイル川のおかげです。ギリシャの歴史家ヘロドトスは「エジプトはナイルの賜物」という言葉を残しています。

この世界最長のナイル川はとにかくすごい川なのです。何がすごいのかと言うと、エジプトから南へ約6000㎞さかのぼったナイル川の源流があるアフリカ中東部のエチオピア高原で、モンスーン（季節風）が降らせる雨が続くことで、毎年6月から一気に増水し、7月に決まって下流のエジプトで氾濫を起こすのです。

この氾濫が、耕作の敵である塩分を農地から洗い流すとともに、農業に最適な肥沃な土壌を上流から毎年定期的に運んでくれます。パソコンにたとえると、エジプトというOSはナイル川によって、毎年自動的に農耕がやりやすい環境に勝手にバージョンアップされる素晴らしい土地という具合でしょうか。

毎年決まって氾濫が起こるこの周期性こそが、エジプトで計画的な文明を誕生させました。**毎年決まった時期に増水が始まるわけですから、その日を元日に設定して1年が365日の太陽暦が作られました。なんとこれが、現代の暦の起源**にまでなっています。

そして、この太陽暦をはじめとした太陽の文明を取り仕切るのが、太陽の王＝ファラオです。そんな恵まれた土地で力を持った王は、やがてピラミッドを始め、巨大な建築物を建造し始めます。

計画的で太陽を信仰する文明、それがエジプト文明なのです。

契約や太陰暦が作られたのは争いが絶えなかったから

続いてメソポタミア文明です。

メソポタミアとは、チグリス川とユーフラテス川に挟まれた地域を指します。今の西アジア・イラクあたりです。メソポタミアを分解すると、「meso」（中間）＋「potam」（川）となり、まさに「川の間の地域」という意味です。

ところがナイル川と違い、このチグリス・ユーフラテス川は、トルコ東部地方の高山地帯の雪解け水が源流で、水流の量が非常に不安定でした。もともと乾燥地帯である上に、上流からやってくる水がいつ来るのかわからないのです。

そのため、メソポタミア文明の最初の担い手だったシュメール人は、そんな不安定さに対処するために治水を行いました。だいたい30㎞離れた地域ごとに「ため池」や

「水路」を作ったのです。そこに人が集まり、ウルやウルクといった都市国家が形成され、その都市国家同士が少ない水の争奪戦を繰り広げ続けました。

さらに周辺地域からは、その水を求めて牧畜民の侵入が繰り返されるので、各都市は防御のために堅古な城壁で囲まれたのでした。漫画の『進撃の巨人』みたいな感じです。

各都市間の争いや、農耕民と牧畜民との争いが絶えなかったため、やがて「法律」が作られるようになりました。有名なのは紀元前19世紀のアムル人の都市国家バビロン第一王朝の王ハンムラビが作った『ハンムラビ法典』です。「目には目を、歯には歯を」で有名ですね。争いを収めるために同害復讐《どうがいふくしゅう》という基準を設けました。これは国家が部族に代わって、社会秩序を維持し始めたことを意味します。

争いが絶えない社会の維持のために必要なこと、それは「人と人との取り決め＝契約」でした。その契約がなくならないように硬い粘土板に楔《くさび》に似た形に削った印を刻み、契約文書が作られました。それが楔形文字の始まりです。

さらに**契約の日時がわかりやすいように、月の満ち欠けで1年を12カ月にする太陰暦を定め、1日を24時間にします。**やがて計算しやすいように、「1ダース＝12」とする60進法も発明されました。

部族間の争いが絶えず、そのために契約を重んじ、月の暦を基準とする文明、それがメソポタミア文明なのです。これらの性質は現代になってもさして変わらず、中近東は宗教対立・部族対立が頻繁に起こる土地柄なのです。

インダス文明で栄えた地域は古代から受けた影響がよくわからない！

インド亜大陸の西部、現在のパキスタン・インドを流れるインダス川流域にできたのがインダス文明です。インダス川の水源は、季節風（モンスーン）による降雨と、インド北部のヒマラヤ山脈とヒンズークシ山脈が源流の雪解け水です。つまり、インダス川はエジプトのナイル川のように定期的に氾濫する川と言えます。一方でメソポタミア文明のように、モエンジョ＝ダーロやハラッパーなどの都市遺跡が発掘されています。

しかし、詳しいことはよくわかっていません。なぜならこの地域で栽培された植物は綿花だったらしく、綿花で作られる綿布に記録されていたであろう文書が、腐食してなくなってしまい現代まで残っていないからです。

インダス文明の地域は、その後の気候変動でさらに乾燥化が進みました。河川の流路も変動するなどして文明は衰退に向かい、紀元前1500年頃に北西部のアフガニスタンからウマと戦車に乗ったアーリア人が進出してくると、滅んでしまいました。このアーリア人は、インド・ヨーロッパ語族の一派で、現在のイラン人やヨーロッパ各民族の共通の先祖につながります。

やがてアーリア人も、この乾燥がきついインダス地域から東のガンジス川流域に移動します。それ以降、西部のインダス川流域から北東部のガンジス川流域に重心が移動して、後のインド文明の元になっていくのです。

他の三つの文明と異なり、**インダス文明は、今のインド文明に直接つながっていません。**つまり現代のインドは、古代と「断絶」されているのです。

ただ、この「断絶」というキーワードが、この先のインド史を理解する上で大きな存在となっていきます。カースト制度という身分制の誕生や、仏教の誕生・衰退・東アジアへの拡散、ヒンドゥー教の誕生とイスラム教の支配、現代のパキスタンからのバングラデシュの分離独立、インドとパキスタンの対立・紛争などなど……、そのどれもが「断絶」がキーワードなのです。

「世界の中心は我々である」という中華思想は大昔からあった

最後に黄河文明です。

東アジアの中国北部を流れる黄河は、上流の西のゴビ砂漠の黄土が流れ込む泥《どろ》が多い河川です。黄河が中国中部に、黄土高原と呼ばれる黄色い大地を形成しました。

そこで栽培されていたアワは黄土高原の地下水で栽培されたため、大規模な灌漑は行われませんでした。そのため、広い地域で邑《ゆう》と呼ばれる小さな集落が点在し、それぞれの邑に住む部族の祖先が崇拝されました。誰よりも偉かったのは、自分たちの祖先なのです。

そのため黄河文明は、他の文明と違って極めて閉鎖的な同族的な文明になりました。これが、**現在の東アジア地域の集団主義的な特徴を作る元になっています。**

やがて各邑同士の争いや連合から、邑連合が形成されました。そのひとつが殷《いん》という国です。

この**閉鎖的な世界の中で形成された自己完結型の世界観が「中華思想」です。「自らが『世界の中心＝中華』であり、外部は自分たちの下に序列する下部集団にすぎない」という考え方です。この中華思想は、現在まで続いています。**

殷の王の統治システムは少し変わっていて、占いで決めていました。亀の甲羅や牛の骨を焼いたときの割れ方で吉凶を占いました。占いの結果は、甲羅や骨に文字を刻んで残したので、甲骨文字が誕生しました。

閉鎖的で同族的で呪術的な文明……、それが黄河文明です。そしてそれは中華文明として、先の三つの文明とは別の、独特な世界観を形成していきます。

いかがですか？　四大文明が現在まで続く各地域の特質を形作っているなんて、面白いと思いませんか？

第3講

紀元前13世紀～7世紀／
西アジア、インド

宗教の話

宗教とは、
思い込みで生まれるものである。

アーティストも神様も基本は一緒？

四大文明が誕生すると、人類は集団で生きていくのに必要な新たな概念を生み出しました。宗教と思想です。まずは宗教のお話からしましょう。世界史を考える上で、宗教は外すことができません。皆さんが宗教を信じているか疑っているかにかかわらず、宗教を踏まえて歴史を見るか見ないかで、世界史の理解度はすごく変わってきます。

宗教というのはその個人にとっては絶対的なものなので、説明をシンプルにするといろいろ誤解も生じますが、あくまでも世界史を知る上での考え方なので、あえてシンプルに説明しようと思います。ご了承ください。

そもそも宗教とは何でしょうか？　**宗教とはズバリ「思い込み」**です。良い意味でも悪い意味でも思い込みです。それは「矢沢永吉やスマップ、ＡＫＢ48が大好きという思い込み」と、実は本質的に大差がありません。そのアーティストが熱狂的に好きな人の集団としてファンクラブが存在しますが、**宗教の教団もファンクラブと基本は同じ**です。

あるアーティストが好きでもファンクラブに入ってない方も多いでしょう。でもファンクラブに入らないとコンサートチケットが取れなかったり、ファン限定イベントに参加できなかったりします。なので、入会する。グッズもたくさん購入しちゃう。多くの宗教でも、同じ現象が起きているのではないでしょうか。大好きだから崇拝し、その崇拝の対象に無償の愛を捧げたいという「思い込み」の総体が宗教なのです。そして**アーティストにいろいろ種類があるように、崇拝の対象である神様にもいろんな種類がある**のです。

ユダヤ教、キリスト教、イスラム教は同じ神様を崇拝している

崇拝の対象の神様のジャンルは大きく分けると二つあります。神様が一つか、たくさんか。**敬愛するアーティストがソロアーティストかグループかというのと同じ感じ**

ですね。それが一神教と多神教の大きな違いです。

ただ一つの神様しか信奉しないというのが一神教。代表的なのが紀元前4世紀頃に発達したユダヤ教、そして紀元前後頃に生まれたキリスト教、7世紀に誕生したイスラム教です。これらはメソポタミアとエジプトの中間地帯である西アジアの、シナイ半島やパレスチナ、アラビア半島といった厳しい環境の荒涼とした「砂漠」の中、ラクダを交通手段として使う交易路の都市で形作られた〝砂漠の宗教〟です。

重要なことは、実は歴史的には**ユダヤ教が元になってできたものなので、神様は同一**なのです。各宗教それぞれに個々の神様がいらっしゃるのではなくて神様は唯一。その全知全能の神をヤハウェとして崇拝するのがユダヤ教で、ゴッド（主）として崇拝しているのがキリスト教で、アッラーとして崇拝しているのがイスラム教です。

では、ユダヤ教のモーゼ、キリスト教のイエス、イスラム教のムハンマドは何なのでしょうか？　基本的には彼らは神の啓示を直接聞き、それを言葉にした「預言者」です（イエスは神の子なので、違うという見解もありますが）。唯一絶対の神の教えを各々の預言者が聞いたことをベースにして教義を発展させていったのが各宗教だと言えます。

さらに、キリスト教ではヨハネやマタイといった方々が登場しますが、彼らは神様でも預言者でもなく使徒です。その宗教の発展の貢献度が高いお方という位置付けですね。

「神様が誰か」よりも「神様への崇拝の作法」が問われてしまう

この三つの宗教の〝**宗教対立**〟というのは「**我々の神様が正しい！　だからお前らの神様は間違っている**」ということではなく、「**我々の神様への崇拝のやり方が正しい。お前らの崇拝の作法が間違っている、訂正しろ！**」というニュアンスの方が**しっくりきます**。全否定っていうより、「いちいち細かいとこ、なんか間違ってんだよな」という感じ、いわば近親憎悪なのです。

近親なので関係がうまくいっている時は友好的でよいのですが、一旦関係が悪くなるとその分、相手のアラが異常に気になってしまい、解決方法がなかなかない困難な対立を生み出します。それが中近東やヨーロッパの歴史で延々と見られる宗教対立です。

では、そのキリスト教やイスラム教というのも一枚岩かといえば、そうでもないので話はさらにややこしくなります。会社でいえば、全体の利益のためにみんな働いているのに、営業1課と営業2課が、売上で対立してしまうみたいな話ですね。**皆さんの職場で起こることは、世界史でも宗教の世界でも起こるんだと思っていて、まず間違いありません。**

キリスト教で言うと、教団が成立した2〜3世紀頃から様々な解釈が生まれ、その中で正統か異端かをその都度決め、異端派は排除されました。ただ排除された異端派も一定の影響力や勢力地域を持っていた場合、分派として存続したのです。

11世紀にカトリックというローマのバチカンを本拠とする西方教会と、コンスタンティノープルを本拠とするギリシャ正教の東方教会とに分裂しました。さらに16世紀にカトリックに反抗するプロテスタントが現れ、現在は大きく分けるとカトリック、プロテスタント、正教会の3派があります。

ところで神父と牧師の違いはわかりますか？　神父はカトリックと正教会にはいますが、プロテスタントでは牧師なのです。ざっくり言うと神父とは教会の司祭さんで、信徒の父的存在。牧師というのは信徒を導く師的存在というニュアンスでしょうか。

イスラム教もシーア派とスンニ派に分かれています。預言者ムハンマドの後継者をムハンマドの娘婿の血筋しか認めないのか、それ以外も認めるのかという話が元になっており、ここでも**根本は後継者争いです**。職場と同じですね……。

スンニ派がイスラム教の主流を成し、全体の約9割、シーア派は約1割でほとんどが現在のイランにいます。現在でも中東で紛争が絶えないのは、シーア派のイラン人とスンニ派が多いアラブ人の対立が根本にあるからなのです。

多神教では神様がどんどん増えてゆく

好きなアーティスト（神様）がグループだと、多神教になります。代表的なのがインダス文明から東部に移動したインド地域生まれの仏教やヒンドゥー教、そして日本の神道も皆さんご存知の通り多神教ですね。なにせ日本には八百万《やおよろず》の神々がいらっしゃいます。

ほとんどの**多神教は温暖湿潤で多種多様な動植物がいる環境で生まれた〝森の宗教〟です。**もともとは全てのものに霊魂が宿るというアニミズムという原始宗教の考え方からそのまま発展した宗教で、世界各地で見られます。

紀元前5世紀にインドで生まれた仏教はその後、様々な仏様や経典のもとたくさんの宗派に分かれました。大きく分けると次の二つです。一つは、自己の解脱を主眼に置く上座部仏教で、東南アジアに広まりました。もう一つは、自分の解脱よりも他者の救済を優先する利他行を唱える大乗仏教で、中国から日本へ広まりました。

多神教が一神教と大きく違う点は、宗教の指導者や偉い人が亡くなった後です。多神教では、新しい神様が次々とメンバーに加入するのです。仏教の開祖ガウダマ・シッダールタ（釈迦牟尼）は亡くなった（入滅）後、仏陀（釈迦如来）になりました。

ＡＫＢ48にどんどん新メンバーが加入されていくイメージですね。

ＡＫＢ48には、センター、ランク外など階級がありますよね。多神教でも同じことがあり、仏教では、悟りきった者を「如来《にょらい》」、悟りまで行く過程の者を「菩薩《ぼさつ》」、他にも「明王《みょうおう》」や「天部《てんぶ》」というように位分けしています。

そして**最も重要なポイントは、「あなたも神様になれるチャンスがある！」という**
こと。日本の神道では、平安時代の菅原道真が天神様になって学問の神様になりました。明治の軍人、東郷平八郎や乃木希典は、東郷神社や乃木神社の祭神として祀られていますよね。

言うなれば、一神教は矢沢永吉ファンで、多神教はＡＫＢファンでしょうか。どんなにあなたが永ちゃんという神様を崇拝してもあなた自身は永ちゃんにはなれませんが、がんばればあなたもＡＫＢに入れるかもしれません。

「決めてから迷う」一神教と「決めるまで悩む」多神教？

ところでなぜ、一神教と多神教があるのでしょうか？　あくまで個人的な見解ですが、神様が自分の中にあるか、自分の外にあるかの違いではないでしょうか。

自分の中に神様がいらっしゃる場合が一神教。なので、神様に何かを頼むとき、それは神様に何かを依頼しているというより、むしろ自分の判断を、神様との対話を通じて自分の中で問いただしているんだと思います。

それは一神教が、何もない砂漠の中で生まれたことに起因すると考えられます。砂漠の中で生き抜く時、人は他のものから何かを恵んでもらうのではなく、自分で何かを得るための決断をします。「西へ行くべきか？　東へ行くべきか？　どちらかにはオアシスがあるはずだけど」。そのように、自分自身が生死を決める究極の判断をするしかないからです。

一方で潤沢な森という自然の中で生まれた多神教は、神様が自分の外にいらっしゃいます。なので、人が何かを実行する時、自分の外にある「あらゆるもの」からの恵みをまずは期待します。「とりあえず西に行ってみるか。もし何かが起きたら、その時その場で考えよう」というスタンスです。そのために、恵みをいただける自分の外にある「他者」を敬う気持ちが生まれたのです。そしてその他者、すなわち山や川や海などの自然や、動植物や、そして高名な人物が、やがて神様になっていったのだと思います。

この一神教と多神教の違いは、現代のハリウッド映画と日本のアニメ映画でも如実に出ていると感じます。例えばピクサー作品の『インサイド・ヘッド』やユニバーサル作品の『ミニオンズ』などは、主人公がまず何かを決めて、その後その決め事にゴールするまでの困難や冒険を描いた作品です。まさに一神教です。一方で、日本のジブリ作品『もののけ姫』や『千と千尋の神隠し』、細田守監督の『バケモノの子』などは、「主人公が何をするか?」や「どこに行くべきか?」で始終悩んでいます。「決めてから迷う」一神教のハリウッド映画と、「決めるまで迷う」多神教の日本映画と言えるのではないでしょうか。

どちらの考え方が正しいなんてないのです。どちらも素晴らしい「思い込み」ですし、宗教は人類に様々な恩恵をもたらしてくれます。逆に言えば、**間違った思い込みをしてしまい、間違った方向に導かれると、人類に間違った行動を起こさせます。そしてその繰り返しが、世界史を作ってきたのです。**まさに「禍福《かふく》は糾《あざな》える縄の如し」です。

このように一神教と多神教の考え方をざっくり把握しておくだけでも、世界史や現代社会の中で様々な事象のまた違った側面が感じられると思います。

第4講

紀元前7世紀～紀元前4世紀／
西アジア、インド、
中国（春秋・戦国時代）、ギリシャ

思想の話

思想は、気候や環境に
思いっきり左右される。

集団社会ができあがれば思想は勝手に生まれる

紀元前7世紀から4世紀にかけて、ユーラシア大陸の四大文明が起こった地域とその周辺で、宗教や哲学が一気に生まれる「精神革命」が起こりました。ドイツの哲学者ヤスパースは、この時代を世界史の「枢軸時代《すうじくじだい》」と名付けています。パレスチナでユダヤ教、ペルシアでゾロアスター教、インドでウパニシャッド哲学や仏教やジャイナ教、中国で儒教を始め諸子百家、そしてギリシャでギリシャ哲学が生まれたのです。これらの思想は、その後のあらゆる人類の思想の根源となりました。

この現象が面白いのは、**どれもがお互いに知り合うことなく、ほぼ同時的にこの数世紀間のうちに発生した**ことです。ただの偶然なのか？　はたまた、人類の宿命なのか？　恐らくですが、人々が集まり集団で暮らし始め、やがて文明ができ、社会を形成して、より高次元な活動をする時に、人々がその指針になるような思想を求めたのではないでしょうか？　四大文明とその周辺地域で、**集団社会がほぼ同時に発生したので、思想も同じタイミングで生まれた**のではないでしょうか。

人は「思想」がないと生きられません。現代で言うとビジョンなき会社の経営がうまくいかないのと同じです。

そしてその思想は、各地域の特質に応じてそれぞれを特化させて独自の発展を遂げたのです。「我々の思想は、一見関係ないように見えて、実はその地の気候や環境にとても影響を受けている」というのが、この講で特に伝えたい重要なポイントです。

草原の宗教・ゾロアスター教がキリスト教やイスラム教も生んだ

紀元前6世紀頃、ペルシア地方の草原地帯にゾロアスターが現れ、ゾロアスター教（拝火教）を創始しました。ゾロアスター教とは、火を神聖視し、善悪二元論と終末論を教義の核とする宗教です。善神で光明の神アフラ＝マズダと、悪神で暗黒の神アーリマンとの闘争で成り立っており、草原地帯で昼と夜が繰り返されることから生まれた考え方です。
この**二元論や、終末論である「最後の審判」という思想は、砂漠の宗教・ユダヤ教に強い影響を与え、その後のキリスト教やイスラム教に通じています。**ゾロアスター教は、7世紀のイスラム教誕生まで主にペルシア人に1000年以上信奉されました。

カースト制度への反発が仏教を誕生させた

キリスト教とイスラム教はゾロアスター教の影響を受けつつ誕生したという話でしたが、同じく世界三大宗教の一つである仏教は、どうでしょうか？

仏教は、バラモン教なくして語ることはできません。バラモン教は、インダス文明を滅ぼした白人系のアーリア人が生み出した宗教です。アーリア人は紀元前1500年頃にアフガニスタンからインド西部に侵入し、インダス川周辺の乾燥地域に住み始めます。紀元前1000年頃になると、高温多湿のコメ作地帯・インド東部のガンジス川流域に移動して、豊かな自然の中で神々をたたえる賛歌、バラモン教の聖典ヴェーダを作ります。

こうして誕生したバラモン教では司祭者階級であるバラモンを最上位に、クシャトリヤ（戦士・王族階級）、ヴァイシャ（庶民階級）、シュードラ（奴隷階級）、さらに最下級の不可触民《ふかしょくみん》という階級身分制度＝カーストを作り出しました。

なぜアーリア人は、カースト制度を作ったのか？　それは、褐色系の原地民であるドラヴィダ人を隔離するためだと言われています。

温暖湿潤地域で暮らすドラヴィダ人は現地固有の感染病を持っていて、その病原菌に免疫がないアーリア人が距離を置きたかったようです。

カースト制度は、当時から現代まで続く社会制度・因習として根深く存在し、現代インドの職業差別や貧富の差の原因になっています。ちなみに、カーストという言葉自体はポルトガル語が語源で、後世に西欧人に名付けられたものです。

このカースト制度を生む原因にもなったバラモン教を否定する動きも、当然出てきます。それが、紀元前6世紀頃に誕生した仏教とジャイナ教。ガウダマ・シッダールタが仏教を、マハーヴィーラがジャイナ教を始めました。どちらも、**出自（ヴァルナ）**

より業（カルマ）を重視して、カーストを否定したのです。

仏教は、統一国家を作りたいと考えていた王族に多く支持されます。ジャイナ教はその徹底した不殺生主義のため、商人階級（庶民階級）から支持されました。カーストを否定しつつも、カーストごとに〝断絶〟した宗教だったわけです。仏教が世界宗教に普遍化するのは、インドを離れた、もっと後世のことです。

インドの宗教には人が動物などに生まれ変わる輪廻《りんね》という思想があります。人は解脱することにより輪廻の苦しみから脱却できるとしたもので、これはモンスーンによる激しい雨季と乾季の循環という苦しみからの解放と重ね合わせて誕生したと言われています。この苦しみからの解放のために自らが苦しい修行を行うという考え方は、現代のヨガ等の修養法につながっています。

中国が、自分たちが世界の中心だと思うのは、儒教のせい!?

中国では紀元前11世紀に殷《いん》が滅び、周王朝が誕生します。殷の最後の王が酒池肉林という故事成語になったほどの贅沢三昧をしたり、残忍であったため、周の武王が殷を倒したのです。「現王朝がふしだらなため、天命を受けた者がそいつを倒して新王朝を建てる」という思想は易姓革命と呼ばれ、その後も中国で王朝が次々と交替するきっかけとなります。そしてこの考え方は、現代の中国＝中華人民共和国になっても引き継がれています。俗に「中国四千年の歴史」と言いますが、それは四千年間同じ思想が続いているという意味でも的を射ています。

新たな周王朝の社会制度では「礼」と呼ばれる身分秩序が最高の徳として重んじられました。しかし、紀元前8世紀になると異民族が侵入し、それも崩壊して弱肉強食の社会になり、周（西周）も首都を移して東周となります。

権力基盤はより弱まり、そんな乱れた社会で中国は春秋・戦国時代という乱世の時代が続きます。各地方でそれぞれ覇を唱えた諸侯は、自国の富国強兵のための新しい思想を求めました。そこで、各地で活発な思想活動が展開されて、諸子百家と呼ばれる中国思想史上の黄金時代が起こるのです。

日本はもとより東アジアで、その後２５００年以上にわたって多大な影響を与え続ける思想が、孔子が創設した儒教です。黄河文明から続く祖先崇拝と家族崇拝を体系化した教えですが、その思想は「長幼の序」、簡単に言えば「年上の方が偉い！」というものです。これは孟子などの後継者たちにより、より厳密化・体系化され、『論語』を始めとした『四書五経』にまとめられます。

しかし、権力者たちは自分たちの都合のいいように儒教を利用します。祖先と家族の延長線上に国家があるということにしたのです。中華思想は、この儒教が生まれたことでより強固になりました。

「年少者は年長者を敬い、年長者は年少者を慈しむ」という考え方にならえば、中国が世界の中で一番の年長者なのです。建国して200年余りのアメリカなんて、中国から見たら極めて年少者にすぎないヒヨッコです。

ゆとりある生活がギリシャ哲学を生み出した

絶え間ない争いが起こって王国が次々と替わるメソポタミア文明の地域と、大規模開発を行い王朝が何代も続くエジプト文明の地域。人々は、そんな古代オリエントの

経済豊かな文明の周辺＝肥沃な三日月地帯で何を行うでしょうか？

それは交易です。特に、乾燥していて、そこで育つ農作物をオリーブ以外に持たない東地中海地域では、各地域を結ぶ「海の商業」が発達し他の作物を輸入しました。

紀元前11世紀に、沿岸部でフェニキア人の活動が活発になります。彼らは地中海を航海しながら、交易都市を植民市として各地に建設し、様々な交易を多民族間で行い、西アジアの文明を地中海に広めました。さらにその交流中に考案されたアルファベットという文字が各所に広まり、やがてヨーロッパ地域の文字の原型になります。

やがて東地中海の航海時代に、ギリシャでも文明が誕生し、様々な思想が開花します。前8世紀にポリスと呼ばれる都市国家が海上貿易で隆盛したのです。

人口が増えると小アジアと呼ばれるアナトリア半島（現在のトルコ）にも植民市が形成され、やがて西アジアも交えた国際的な文化が成立します。

商業に立脚し、なおかつ奴隷制に基づく社会基盤のゆとりから、富裕階級が誕生し、そこで成年男子全員参加の民主的な政治体制が成立しました。文学・演劇も盛んで、オリンピックも開催されました。

しかし、最盛期のアテネ市民は15万人に対し奴隷は10万人もいたと言われています。現代の人類平等理念に基づく民主主義とは違う、**富裕層だけの特異な民主政治**だったのです。

生活にゆとりが出ると、人は人生について考え出し、やがて万物の根源を考える余裕が生まれます。そこで哲学が誕生しました。このギリシャで生まれた民主制という概念と、やがてソクラテス、プラトン、アリストテレスなどを代表として生み出される哲学は現代まで継承され、西欧世界や近代社会の様々な思想の基本となります。

しかし、ただ継続して受け継がれたわけではありませんでした。ペルシア帝国との戦いやポリス間の戦いを経て、疫病の流行や無知な民衆による衆愚《しゅうぐ》政治で衰退したギリシャ文明は一度、世界史の中で忘れられてしまうのです。

再び日の目を見るようになったのは、後のイスラム世界の人々が、翻訳・発展させてからのこと。それが14世紀にヨーロッパに伝わり、近代文明の思想として注目されるのがルネサンスなのです。

第5講

紀元前6世紀〜4世紀／
ペルシア帝国、ローマ帝国

帝国の話

人が集まり、国ができ、
やがて他国を支配する
帝国が生まれる。

複数の王国を統治する帝国はウマによって誕生した

ユーラシア大陸に各文明が登場すると、やがて世界史は帝国の時代に入ります。各民族が形成する王国を、さらに上から強力に統治する体制、それが帝国です。

どうして帝国が誕生するようになったのでしょうか？　それまではユーラシア大陸の大河流域に誕生した農地と各都市同士は、周辺の草原や砂漠などの荒れ地により隔絶していたのですが、あるものの登場で一つにつながったからなのです。

それはウマです。中央アジアで生息していたウマを飼いならした民族が遊牧民となり、西アジア、北インド、中国黄河中・下流域の草原、そして東地中海の経済地域へ南下します。やがて2頭のウマで引かれた軽戦車に乗って、周辺地域を征服することが帝国の土台になります。

つまり**ユーラシア大陸の帝国とは、北の比較的貧しい軍事的遊牧民が、ウマという交通・通信手段を獲得することで、南の経済的に裕福な農耕民を征服したり、寄生し**

たり、従えたりした国家と言い換えることもできます。

メソポタミアで馬車が広く使われるようになるのは、紀元前2000年頃にスポークが発明されてからだと言われています。車輪が軽く頑丈になり、馬車を疾走させることができるようになったからです。馬車はその後、一気に地中海世界から中国まで、瞬く間に世界に広まりました。便利なものはすぐに広まります。なぜならこの**ウマと車という組み合わせは、今まで人間が持っていなかったものを一度に手に入れることができたからです。持てる以上の大量の荷物を、走る以上の速さで移動させることができ、そしてその用途は、運搬、農耕、戦闘と多種多様**です。

一方、メソポタミア北方のロシア南部の草原地帯では、馬車ではなくウマにそのまま騎乗する技術が生まれます。紀元前1000年頃には、広い草原地帯をヒツジ、ヤギなどの家畜とともに移動する遊牧民というスタイルが誕生。初めて鉄器を使用したスキタイ人などの騎馬遊牧民が、ロシア南部で活動します。

紀元前6世紀になると、スキタイ人はハミやあぶみ（鐙）を使用して馬の操縦技術を進歩させます。ハミをウマの口にかませて手綱をさばくことができるようになると、より細かい操縦が可能になり、馬に乗った時に両足を引っ掛けるあぶみを使うことで、走っている馬の上で刀を使ったり矢を射ったりすることが可能になりました。**ちょっとしたアイデアが、ダイナミックに歴史を動かす**のです。

こうしてウマの上から弓を射る騎射が圧倒的な軍事力になり、騎馬軍団が登場しました。今でも仕事率の単位を馬力と呼ぶことからも、ウマが人類にとって最高の「力」だったのがわかるでしょう。18世紀にイギリスで蒸気機関が発明されるまでは、ウマが動力源の中心を担いました。

このように世界史を動かす原動力とは、「移動力」の変化なのです。

ペルシア帝国の政策は現代社会でも使われている

ウマに乗った騎兵が先頭に立って戦闘し、周辺を征服し始めることによって帝国の誕生につながります。世界史史上最初の巨大帝国は、紀元前6世紀にイラン高原から起こったアケメネス朝ペルシア帝国です。その支配はエジプトからインダス川まで及び、人口も5000万人に及びました。

アケメネス朝は、「諸王の王」と称した第3代のダレイオス1世のもと最盛期を迎え、領土的野心からギリシャのポリス国家に攻撃を仕掛けました。

広大な領土を手に入れた**アケメネス朝は、様々な政策を行いました**。全国を州という行政区に分けて統治し、サトラップという州知事を置き、さらにその州知事を監視する「王の目」「王の耳」という監察官を中央から派遣します。さらに「王の道」という国道や通信手段の駅伝、そして通貨制度を創設します。

行政区を整備し、道路や通信設備を建設し、共通通貨を制定する、これらの中央集権的政策は、**その後の時代でも度々世界史に登場し、現代の国家でも国民を統治するために使われている制度**です。近代国家が国民を支配・制御する仕組みのきっかけは、帝国が各民族を支配する仕組みに由来するというのが、支配の本質かもしれません。

要するに、帝国とは巨大な中央集権の産物であり、中央政府への集中が強ければ強いほど強固になります。逆に**弱くなった時から帝国の衰退が始まり、滅亡へと向かいます**。帝国の誕生と衰退は、その後も西アジア、インド、中国をはじめ全世界で次々と起こります。

たった一人の英傑で世界史は動いてしまう

アケメネス朝を滅ぼしたのは、衰退したギリシャの各ポリスを制圧した北部のマケドニアから誕生したアレクサンドロス大王です。この「世界の覇者になる」という野望を持った若き王はエジプトを侵略し、東方遠征に繰り出し、瞬く間にインドまで東進。各地に自分の名前を冠した都市をじゃんじゃん創設し、大帝国を誕生させ、ギリシャ文化とオリエント（東洋）文化を融合させ、以後300年続くヘレニズム時代が幕を開けるのです。しかし、大王自身は30代半ばの若さで、蜂に刺されてあっけなく死んでしまいます。

世界史は様々な地理的要因や、物事の進化で動きますが、**野望を持ち無謀な企てにチャレンジする一人の英傑・天才の登場でもまたダイナミックに動く**のです。アレクサンドロス大王はまさにそんな突如現れた英雄で、その後も世界史にこんな豪傑が何人か登場します。

イラン人のプライドはペルシア帝国にある

アケメネス朝がアレクサンドロス大王に滅ぼされた後、紀元前3世紀にはイラン系の騎馬遊牧民がパルティア王国を建国します。パルティア王国は約400年続いた後、224年にササン朝ペルシアに取って代わられ、ササン朝はさらに400年近く続くのでした。

現代のイランという国は、このようにかつて巨大な帝国を作ったペルシア人の末裔の国というプライドを持って行動しています。

我々からすると現代のイスラム教内での宗派争いに見える中東の構造も、**「プライド高き伝統あるペルシア人VSイスラム教の元祖・アラブ人」という構図**を知ることで、知られざる一面が見えてくることがあります。**その国の過去の歴史を知ることが、現代の行動理念を探る勘所になる。**これも世界史を学ぶ大きな理由です。

人気者は外ではトンデモナイことをしている

紀元前1世紀に、地中海に突き出たイタリア半島から巨大な帝国が誕生しました。ローマ帝国です。もともとは、王政から共和政になったローマという一つの都市国家でしたが、重装歩兵の活躍でイタリア半島を統一後、フェニキア人がアフリカに作った植民市カルタゴとの3回に及ぶポエニ戦争に勝利します。

やがて、イベリア半島を始めとする西地中海の支配権を獲得。そこで巨大な海軍力を使って、東地中海を勢力にしていたヘレニズム文化の体現者クレオパトラのプトレマイオス朝を滅ぼし、**地中海を統一した世界初の海洋帝国**にのし上がりました。

紀元前27年にローマは共和政から帝政に移行しますが、初代皇帝アウグストゥスは、もともとは実力者で非業の死を遂げたカエサルの養子のオクタウィアヌス。彼がエジプトを倒した時に元老院から受けた「尊厳者」を意味する称号です。しかし自身は、あくまで市民の第一人者にすぎないという意味の「プリンケプス」と称しました。この**「議会からの要望で、自分はやむなく国家の指導者になったのだ。自分は独裁者でもなんでもないよ」という一見謙虚な触れ込みは、その後世界史でも現代社会でも多用されます。**

18世紀末の皇帝ナポレオンも最初は第一統領を名乗りましたし、現代の北朝鮮でも同様の事態が見受けられます。北朝鮮の現在の指導者・金正恩《キムジョンウン》は第一書記を名乗っています。それは先々代の祖父で初代指導者・金日成《キムイルソン》が「国家主席」を名乗った後、2代目の息子の金正日《キムジョンイル》が国家主席を偉大な父の永久名称として残して、本人は格下の総書記を名乗り、さらに現在の3代目・金正恩が父・金正日の「総書記」よりさらに格下の「第一書記」を名乗るというへりくだった行為と酷似しています。

なお、欧米における「皇帝」の称号は、暗殺され皇帝になれなかった義理の父・カエサルの名が由来です。「カエサル」という名前が彼の業績を表してやがて「皇帝」という意味になりました。カエサルを英語では「シーザー」、ドイツ語では「カイザー」、ロシア語では「ツアーリ」。これらは「皇帝」という意味を表す言葉になっています。

地中海エリアを制覇した**ローマ帝国は、各地に属州を設置し、「すべての道はロー**

マに通ず」という格言が残るほどの長大な立派な道路を建設しました。実は日本の新幹線の線路の幅は、ローマ時代の馬車の軌道と同じと言われているほど。それくらいスタンダードになったのです。

そして各地から穀物と富と奴隷を集め、ローマ市民に分配します。権力者は「パンと見世物」を市民に分け与え、内では人気を保ちつつ権力を握りながら、外に対しては巨大な軍事力で周辺を征服し続けました。2世紀の五賢帝が統治した最盛期までの200年間、域内では平和が続き、パクス・ロマーナと呼ばれる平和な時代が続きます。

反対だったものがむしろ公認に。世界史ではよくあることです

しかし、そんな帝国も、それ以上征服・収奪できる土地がなくなると、やがて衰退に向かいました。外部に拡がれなくなると、内部に入る経済的富も減少します。やがて内部に不満が高まり、腐敗や内紛、内乱が頻発するようになります。そんな

中、特に物質的に恵まれない奴隷層や貧民層が救いを求めるものはなんでしょう？　それは精神的な救済、つまり宗教です。**新たな宗教が広がるきっかけは、社会に不満が高まっている時が多い**のです。それが世界史のセオリーです。

このローマ帝国で爆発的に広まった宗教が、キリスト教でした。ユダヤ教から派生した考え方を持つキリスト教は、ゴルゴダの丘で処刑された預言者＝救世主・イエスの教えを、その復活を信じた弟子たちが『新約聖書』にまとめたものです。

弟子たちは布教に努め、その「死後の救済」を説く教えが領内で急速に普及していきました。「全ては救われる」「死後は救済される」は現世で悲惨な目にあっている者たちには殺し文句なのです。はじめはキリスト教を禁止していたローマ帝国も、やがて313年にコンスタンティヌス帝が「ミラノ勅令」を出し公認にします。さらに4世紀末にはテオドシウス帝が**ローマの国教にして、むしろ他の宗教を禁ずるまでに及びます**。

反対だったものがやがて公認になる、この逆転現象は世界史では日常茶飯事です。今あなたが信じる思想や考え方や法律だって、以前ならおかしかったかもしれませんし、今おかしいと思われていることがやがて常識になることもあるのです。現代の日本に住む僕らが信じる価値基準で、各時代や各国を判断することの愚かさと虚しさ、それを十二分に実感できることが、世界史を学ぶことで得られるとても大きな財産です。

第6講

7世紀〜13世紀／イスラム帝国

商人の話

実はイスラム教は、
合理的で寛容な宗教である。

世界史の未来は
イスラムにかかっている

7世紀にユーラシア大陸の西アジアの乾燥地帯で、世界史の一大転機になる事態が起こりました。イスラム教の成立です。やがてイスラム帝国を形成し、ユーラシア大陸を東西に横断しながら、西アフリカ、イベリア半島から東の東南アジアまでに及ぶ大商業ネットワークを形成して、文明の東西交流が格段に進みます。

このイスラム帝国の設立理念は、ずばり「宗教」です。そしてその宗教＝**イスラム教が、当時極めて合理的で寛容的な最新の宗教であったことが、勢力拡大に有利に働きます。**時代や地域によって、王朝が交代したり、並立することもありますが、寛容的であるがゆえに、イスラム教の主要な担い手をアラブ人、ペルシア人、トルコ人、モンゴル人、インド人等々と加えていきながら拡大していったのです。こうして、現代に続く世界史を彩るイスラム国家群が形成されました。

今や世界には約16億人のイスラム教徒がおり、数十年後にはキリスト教徒を抜き、世界一の宗教勢力になると言われています。現代の地域経済や国際社会、そして民族の対立や国家間紛争はそんなイスラム教への理解なくして解決することは到底できません。我々日本人は、世界史の中でもっとイスラム教を知る必要があるのです。

アラビア半島の騎馬遊牧民であるアラブ人は、古くから帝国内でウマとラクダを乗り回し商業を営んでいました。その商業の中心地・メッカで生まれた商人ムハンマドが、イスラム教の預言者となります。**イスラム教は商人から生まれた宗教**なのです。イスラムとは「神への帰依」という意味の言葉です。

約束事が具体的で明確である反面、状況に応じて解釈するのが難しい

40歳を過ぎて瞑想生活をしていたムハンマドはある日、大天使ガブリエル（ジブリール）から神アッラーの預言者であると告げられます。偶像崇拝を禁ずる一神教の最後にして最大の預言者となりました。

〝最後にして最大〟というのがポイントです。ムハンマド以前にもイエスを始め預言

者は何人もいましたが、彼らは神の言葉全てを聞いていません。一方、神の言葉を最後に漏らさずに聞いたのがムハンマドなのです。神の最後の言葉はアラビア語でした。ですので、コーランは他言語に翻訳されてしまったら、もはや神の言葉ではないのです。

イスラム教の信者＝ムスリムには「六信五行」と言われる義務があります。六信とは、神・天使・啓典《けいてん》・預言者・来世・天命という六つの信じること。五行とは、信仰告白・礼拝・断食・喜捨・巡礼、の五つの行わなければいけないことです。これは現代のムスリムにも厳密に受け継がれています。

こう見ていくと、イスラム教は我々日本人にとって、戒律が厳しいイメージがあるかもしれません。でも、商人であるムハンマドにより形成されているため、**一般市民に近い目線を持っていて、合理的な内容にもなっています**。さらに、古い宗教で失敗した点を踏まえて成立しています。そのため、聖典であるコーランは、キリスト教の聖書よりはるかに細部にわたって細かく記述されていて、解釈が曖昧になるようなことがありません。**「これを信じて、これを行えばいい」という風にハッキリしています。**

ただし、逆に考えてしまうと、他宗教のように**曖昧な部分をその時の時代状況に沿って都合よく解釈することが難しい**のです。それが、現代の西欧文明由来の近代文明との軋轢《あつれき》の原因にもなっていることは否めません。

アルカイダや「ＩＳ」の行為はムハンマドの行為と共通する部分があった

ムハンマドはメッカにて布教を開始しますが、多神教信仰だったアラブ人たちから迫害を受け、622年にメディナに移住します。このメディナへの移住＝ヒジュラの年が、イスラム暦の紀元元年というのがポイントです。彼は思ったのでしょう、「いつかメッカを奪還するぞ！」と。ムハンマドのその誓いとともに、イスラム暦は始まっているのです。

ちなみにイスラム暦は、月の満ち欠けに基づいて決められる太陰暦です。三日月はイスラム教の象徴です。西アジアの灼熱の砂漠では昼の太陽は忌まわしい存在で、涼しい夜に輝く月は時間と方向を教えてくれるありがたい存在だったからと言われています。

やがてムハンマドの活動は急速に勢力を伸ばし、630年にはメッカを無血占領します。そして今まで多神教の偶像が祀られていたカーバ神殿の偶像を破壊し、アラビア半島の遊牧民はアッラーという唯一神を崇拝することになるのです。メッカはそれ以降、イスラム教の最大の聖地になり、カーバ神殿は世界中のムスリムが1日に5回礼拝する方向の基点になり、またムスリムが一生に一度は訪れるべき巡礼の地になりました。

近年アフガニスタンの世界遺産バーミヤン遺跡がアルカイダに破壊され、また「IS」によって世界遺産のイラクのハトラ遺跡やシリアのパルミラ遺跡が破壊されました。世界は悲しみに包まれ、当然イスラム教徒内でも非難が叫ばれています。

しかし、彼らが信じる**イスラム教の原理主義的な考え方では、かつてムハンマドが行った偶像破壊と同様な、正当な行為なのかもしれません**。文化財を破壊する……、それは人類にとっての冒涜《ぼうとく》だと思います。でも実際、日本の明治時代には国家神道のため、廃仏毀釈《はいぶつきしゃく》が行われ、多くの寺院で廃合や仏像の破壊が行われました。

彼らの行為は**現代の我々が考える基準では非道だとしても、当事者にとっては正当**

性があるのかもしれません。そこで大事になるのは、**彼らの主張まで考慮して打開点を探すこと。**今後の世界状況では、より求められるスタンスなのです。

アラブ帝国からイスラム帝国へ。バグダードの『千夜一夜物語』

632年にムハンマドは急死します。その後イスラム教団は幹部の中から神の使徒であり、ムハンマドの後継者を意味するカリフを選び、また彼が語った神の言葉を『コーラン』としてまとめるのです。『コーラン』はその後のイスラム教徒たちの判断の基準、生活の拠り所になりました。そしてカリフを先頭に、アラビア半島から外部へと大征服運動が開始され、東ローマ（ビザンツ帝国）や東のササン朝ペルシアへと向かい、その戦いはジハード（聖戦）と呼ばれました。東ローマ帝国からはシリアとエジプトを奪い、651年にササン朝が滅びるとペルシア人もイスラム教域に入ります。

ムハンマドの意思を継ぐ正統カリフが4代続いた後、それ以後のカリフを正統と認

めるスンニ派と、暗殺された４代目のカリフ・アリーとその子孫のみをムハンマドの後継者とみなす人たちがシーア派として分かれました。スンニ派の有力者ムアーウィアは権力を掌握してカリフになり、その後のカリフは自分の一族に世襲されるようにし、シリアのダマスクスを首都とするウマイヤ朝が成立しました。

そして被征服民にはジズヤと呼ばれる人頭税《じんとうぜい》とハラージュと呼ばれる地租《ちそ》を課し、アラブ人たちには高額の年金を払い人気を獲得します。大征服運動は再開され、西はアフリカ北岸から、ジブラルタル海峡を渡り、イベリア半島へ進出。一方、東は西北インドまでが新たな領域になり、これがアラブ帝国になったのです。

そんな中、ムハンマドの叔父の家系のアッバース家が、シーア派と非アラブ系被征服民の改宗者の支持を得て７５０年にウマイヤ朝を滅ぼし、アッバース朝を起こします。

さらにペルシア人との提携関係を重視してバグダードに首都を新設（現在のイラク）。バグダードからは東西南北に幹線道路が延びて、各地との商業ネットワークが完成します。

ペルシア湾からインド洋へのダウという帆船による航路が開発されると、アフリカ東岸からインド洋、ベンガル湾、南シナ海、東シナ海がイスラム商業ネットワークに組み込まれます。こうしてバグダードは人口が150万人に達し、産業革命以前では世界最大となる都市にまで発展しました。最盛期である第5代カリフの時代には『千夜一夜物語』が誕生しています。

以上を経て、**アラブ人のための征服王朝であるアラブ帝国は、アラブ人以外のイスラム教徒も対等に扱うイスラム帝国に進化した**のです。この一連の動きは、アッバース革命と呼ばれています。**普遍的な大帝国の成立には、域内の被支配民族への高圧的な支配より、むしろ寛容さが必要とされるのがポイント**です。

イスラム帝国内では税さえ納めれば、他宗教の人間も居住が認められました。迫害するより交易を進める方が合理的だからです。一方で、キリスト教圏ではユダヤ教徒は迫害されました。こんなところにも、イスラム教の寛容的で合理的な一面が見られます。

●10世紀のイスラム帝国と周辺

権力は皮肉なことに権力で滅ぼされる

やがて10世紀になると、アッバース朝内でシーア派の反乱が広がります。都市の豪華な生活に慣れ戦闘能力を減衰させたアラブ人たちは、中央アジアからやってきた戦闘的な遊牧民族・トルコ人を、マムルークと称する軍事奴隷として活用するようになりました。

ムスリムに改宗し軍事力を背景に力をつけたトルコ系セルジューク人のトゥグリル・ベクは、1038年にセルジューク朝を起こし、その後カリフからスルタンの称号を得ます。スルタンとはアラビア語で「支配者」という意味で、宗教面の指導者カリフと、政治面の指導者スルタンとで分け合う形をとったのです。

政教分離のため権力を分け合う行為、または統一するという行為が世界史では、西欧でも中国でも、各所で繰り返し見受けられます。日本の中世に、貴族の警護で雇っていた武士が、朝廷から征夷大将軍の称号をもらい幕府を開いて政治権力を握ったことも同様です。

人は軍事力で権力を握り、その権力のおかげで裕福になります。裕福な暮らしが続くと軍事力は減衰し、時代が下って子孫の代になると、軍事力が低下した分を軍事力を持つ代替者で補うようになります。やがてその代替者が、政治権力を取って代わって持つようになります。まさに権力を持つものの力の強弱により、世界史は変遷するのです！

「権力を持つと、その権力ゆえにやがて権力が奪われる」。この歴史のダイナミズムと宿命を理解することが、世界史を学ぶ醍醐味なのです。これって、あなたの職場や身近な社会でも、見られる光景じゃありませんか……？

第7講

紀元前3世紀～3世紀／秦・漢帝国

中華の話

中国を見ることで、その他の国の見方まで変わってしまう。

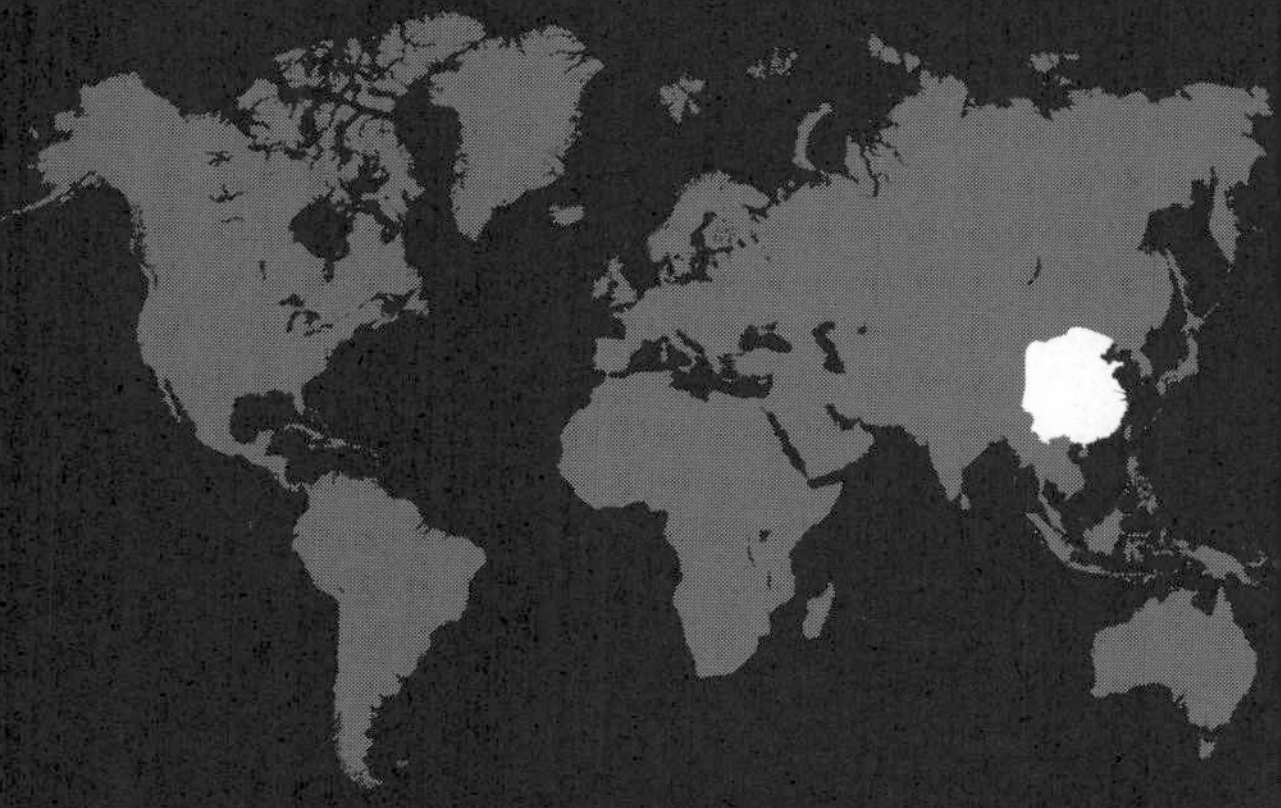

我々は歴史を理想の世界になるように見ている

今度は、ユーラシア大陸を東へ行って、東アジアの中国の話をしましょう。中国と言えば我々日本人にとって身近な存在で、『三国志』などは皆さんも小説やゲームで楽しんだことがあるかもしれません。様々な英雄が出てきて、なかなか楽しいものですよね。

中国は伝説の夏《か》王朝から始まって、殷、周、春秋・戦国時代、秦《しん》、漢《かん》、三国時代、晋《しん》、五胡十六国《ごこじゅうろっこく》、南北朝時代、隋《ずい》、唐《とう》、五代十国《ごだいじっこく》、宋《そう》、遼《りょう》、金《きん》、元《げん》、明《みん》、清《しん》……と、王朝が何代にもわたって存在します。でもその分、どう捉えていいのかがなかなか見えづらいところもあります。

普通、中国史と言うとそれを順に追って説明していくわけですが、それは他書を読んでもらうとして……、この本では他書を読む前に重要になる、中華世界の捉え方を説明したいと思います。

現在の揉めに揉めている日中関係を考えると、これから僕らは中国の歴史をどう捉えるのか？というのは、すごく重要なことです。

例えば僕らはそもそも**「中国」と呼称しますが、これって誤解を生じやすい**です。なぜなら現在の中国の国家＝中華人民共和国の大きさをイメージしてしまいますから。**中国が現在の大きさにざっくり確定したのは、先程記述した中でなんと最後に登場した清（17世紀～20世紀）の時代**なのです。春秋・戦国時代あたりの中国は中原と称する黄河中下流域に限られていました。

これは日本の場合も同様で、僕らが日本と言うと、よく見る地図を想像して北は北海道から南は沖縄までと解釈しますよね。でもそれは現在の我々が主張する日本であって、そもそも北海道や沖縄が日本と広く認識されるのは明治以降です。平安時代には東北だってまだ日本ではなかったのです。現在の領域になったのは、歴史的にはほんのつい最近です。より正確にいえば北方領土は、現在日本の施政下に置かれていないわけで、厳密に言うと〝今〟というより〝希望〟というのがむしろ正しいのかもしれません。

逆に言えば、僕らが教科書で日本史を学ぶことは、その希望の範囲に国の大きさが決まるまでの過程を、僕ら好みに学びすぎるきらいがあるのです。

それは世界史を学ぶ時にも同様なことが言えます。**〝今〟の僕らが今の日本人の〝希望〟に沿うように世界を見てしまいがち**なのです。そしてそれは他国民もしかり。現在の中国人は〝今〟の中国国家の希望に沿うように、世界史を捉えます。それが各国による歴史認識の違いとして生じるのが、様々な国家間の問題につながるわけです。

だとしたら、**僕らは世界史から何を学ぶべきか？　それは「他地域（他国）の人たちは自分たちのことをこう考えている」ということ**です。

まず彼らがどう考えているのかを知ってから、僕らがどうするか考えたって、遅くはありません。お互いが主張をぶつけ合っても、自身が正しいと言い続けるしかないわけで、そりゃ揉めるはずです。そこに希望はありません。

実は我々日本人も中国にひざまずいていた……

しかし「自分本位で考えるきらいがありすぎる」という特徴が、まさに中国の歴史

時代によってこんなに違う！
中国の面積

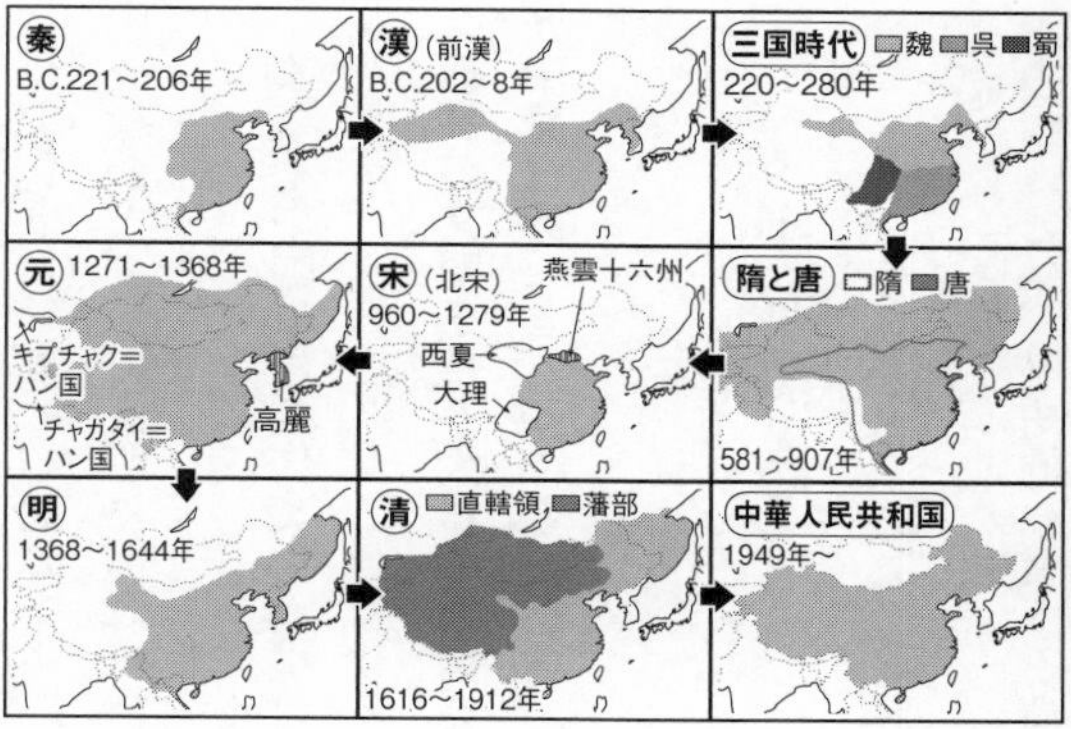

そのものなのです。**中華とは「自分本位で考えすぎること」**です。だって、自分たちが世界の中心だって都合よく考えているのですから。

そして、その考え方が影響する範囲が、本来の意味での中国の範囲なのです。日本なんて、その中華世界の東の辺境の島国にすぎないと。

でも、中国だけでなく日本までもが、ずーっとそう捉えていたのです。**実は日本人自身も、その中華世界の仕組みに乗っかっていた**からです。

そのシステムは隋の7世紀以降完成し「冊封《さくほう》体制」と呼ばれますが、それ以前にも日本（倭の国）の奴国も邪馬台国も、中国の天子からの認証を求め続けました。これは日本に限ったことでなく、朝鮮やベトナムなど周辺の各民族も、中国の天子にひざまずきました。

つまり東アジアは、他の文明地帯と隔離された、質量ともに圧倒的な文明を持った中心社会と、その文明に憧れを持つ周辺の諸民族により独自に構成されていたわけです。

また、中国には稲作文化が根付くことで、大量の人口が定住していました。有史以来、世界の中で常に人口が最も多い地域、それが中国大陸なのです。

孤高の文明を持ち大量の人口を持つ中国と、中国にひざまずく周辺民族……。**これが中華世界**だとざっくり把握することが、世界史で中国を知る大きな意味だと言えます。

中華思想はコンプレックスの裏返し？

中国人とは、歴史的に言うと農耕を行う漢民族を指します。漢民族は現在の中国では、人口の約9割以上を占める大民族になっています。漢民族は、自分たちが世界の中心で、彼らの周辺に住む種族は、文明を持たない野蛮な獣くらいに考えていました。非中華＝非文明地域を方角によって「南蛮《なんばん》」「東夷《とうい》」「北狄《ほくてき》」「西戎《せいじゅう》」と軽蔑して呼んでいました。我々日本人は、彼らから見たら東夷なのです。でも、そんな名前を付ける裏側には、本当の意味が隠されています。学園ドラマで言うと、いじめっ子に対し「あんな野蛮な不良が！」と捨て台詞を吐く優等生のイメージです！

特に北と西には、ウマを自在にあやつる機動性・攻撃性にすぐれた騎馬民族がいました。そうなんです、漢民族が未文明な獣人だと称した周辺の不良＝遊牧民の方が、武力が優勢なことが多く、彼ら優等生＝漢民族は「天高く馬肥ゆる秋」の収穫期に定期的に北から西からいじめ＝略奪に遭っていたのです。そんな**周辺からの襲撃から身を守ろうとし、時に守れず征服され子分にされ苦渋を舐めてきた世界……、そのプライドと劣等感が入り混じった感情が中華のもう一つの真理**なのです。

国家に求められる第一の条件は国土の防衛

漢民族は、その名称の由来である漢という国が形成されることで、アイデンティティを形成しました。その後に王朝が何度も交代しますが、この漢民族の呼称は変わりません。漢という国ができる前に、国家統一を果たしたのが秦でした。では秦民族じゃないのか？というツッコミがありそうですが、**秦はアルファベットで書くと「Qin」、それが「Thin」「Chin」となって現在の「China（チャイナ）」の語源になっているわけですから、この秦・漢帝国が、今に続く中華帝国の起源**なわけです。

春秋・戦国時代で戦乱が続いている間に各地域で開発が行われ、人口が急増し、国の規模が飛躍的に増大しました。戦乱期は戦争が起こるので人口は減少すると思われがちですが、世界史的に見ると実は逆です。むしろ**人口膨張によって既存の社会資本の配分の辻褄が合わなくなり、揉め事や奪い合いが増えて戦乱が起こる**のです。そして混乱の中で北の黄河のアワ文化圏と南の長江流域のコメ文化圏が一つになり、大人口を抱える漢民族の基礎になりました。

そういった国々を次々に併合して中華世界を初めて統一したのが、秦王政です。彼は王の上の位である皇帝という称号を生み出し、始まりの皇帝＝始皇帝を名乗りました。さらに国土を皇帝の直轄地にし、今まで対立していた部族ごとの領国を廃止し、郡県制をしきました。先述したペルシア帝国や日本の明治維新における廃藩置県のような施策です。

さらに野蛮な騎馬民族から優秀な我が民族と農耕地帯を守るため、万里の長城を築きました。東西長さ6000km以上に及ぶ、ウマが越えられない約2メートルの高さの粘土を固めた城壁です。**国土の防衛、それが統一国家に求められる第一の使命**なのです。

中国で王朝が繰り返し誕生するのには決まったパターンがある

さらに国家統一のために、諸子百家の中の法家思想に基づき、全国で法律、文字、通貨、度量衡の統一が行われました。これも19世紀に明治維新以降、日本が行った施策とかなり重なります。これらは時代を超えて、国家を統一・統制することの本質なのです。

しかし、これらの急激なシステム改変は施政者に強力なカリスマ性があってこそ可能で、始皇帝の死後、各地で反乱が勃発しました。やがて劉邦《りゅうほう》により漢が起こり、秦はわずか15年で滅んでしまいました。そして**漢の治世がその後約400年も続いた理由の一つは、人民の反発を受けることなく秦の制度を踏襲できたこと**が挙げられます。

日本でも戦国時代に、同様のことが起きています。織田信長が劇的なシステム改変を提唱し、豊臣秀吉がシステム改変を実際に行い、やがて徳川家康が適度に調整して江戸幕府のシステムを完成させ、その後250年余りの平和な時代を築いたことと重なります。

この「秦王朝が滅び漢王朝が起こる」という一連の流れが、その後の中国歴代王朝で起こる定番の流れになります。

「王朝が起こり↓制度改変が起こり↓皇帝が何代か続き絶頂期を迎え↓やがて政治が

腐敗し→民衆が疲弊し不満がたまり→各地で反乱が起こり→新たなカリスマが立ち上がり→新たな統一王朝を起こす！」という流れです。王朝の長さや規模によって、その後に続く戦乱の長さも規模も変わりますが、だいたいこのパターンです。

他地域でも見られる現象でもあるわけですが、**特にこの循環性は中国でこそ顕著です。なぜなのでしょうか？　それは、「ある王朝の天子がダメな統治を行うと、天が見切りをつけて新たな天子に替わる」という「天命が革《あらた》まる＝革命」なる思想が、中国にはあるから**なのです。この革命を易姓革命といいます。前王朝が徳を失い、新たな徳を備えた一族が新王朝を立てる（**姓**が**易**《か》わる）という考え方です。

そしてこの革命思想は当然、現代の中国共産党政権の中華人民共和国にも連綿と受け継がれています。政権内部の権力争いは、派閥間での腐敗・汚職などの摘発や粛清《しゅくせい》を伴って進むのが、今も昔も中国の政治です。

第8講

4世紀〜14世紀／ヨーロッパ

民族の話

民族や文化の違いで
差別する愚かさに
気付く話をします。

歴史から消えた匈奴《きょうど》がヨーロッパに現れた！

いよいよヨーロッパが世界史に登場します。しかし話は、先講の中国から始まります。

始皇帝が造った万里の長城、それは北からの野蛮な騎馬民族＝北狄の侵入を防ぐためでしたが、この北狄の正体は何でしょうか？　それは匈奴という民族です。**紀元前3世紀頃から中国の北部にいた遊牧民で、彼らは中国の漢に度々侵入し漢民族を脅かします。**

匈奴はやがて、漢の防御・融和政策で力が衰え、1世紀には内紛が起こり南北に分裂しました。

南匈奴は中華圏に残りましたが、北匈奴は忽然と中華圏から消えたのでした。北匈奴では、第1講で解説したような人類の移動が起きたのです。その場所が住みにくくなる（匈奴の場合は中華の圧力と内部分裂）と、他の場所に移動します。**この傾向は、定**

住している農耕民よりもウマで移動できる遊牧民に顕著です。そして4世紀中頃、匈奴は中央アジアから黒海周辺、さらに東ヨーロッパにまで到達しました。**彼らはローマ帝国民からフン族と呼ばれました。**匈奴を〝きょうど〟と読むのは現代の日本語読みですが、当時は「Hu-na」、「Hun-na」、「Hunni」などと発音していたと言われています。匈奴が西に移動しフン族として世界史に再登場したのです。**フン族の痕跡は、現在のヨーロッパ各地に残っています。東欧のハンガリー民族「マジャール人」は実はアジア系で、国名のハンガリー(Hungary)はフンが語源という説があります。**

民族の大移動はビリヤードのようなもの？

しかし黒海周辺から東ヨーロッパにフン族が侵入したとすると、もともとそこにいた民族はどうなったのでしょうか？　東から強力な遊牧民がやってきたので、彼らは**玉突き状態のようにもっと西に移動せざるを得ませんでした。**

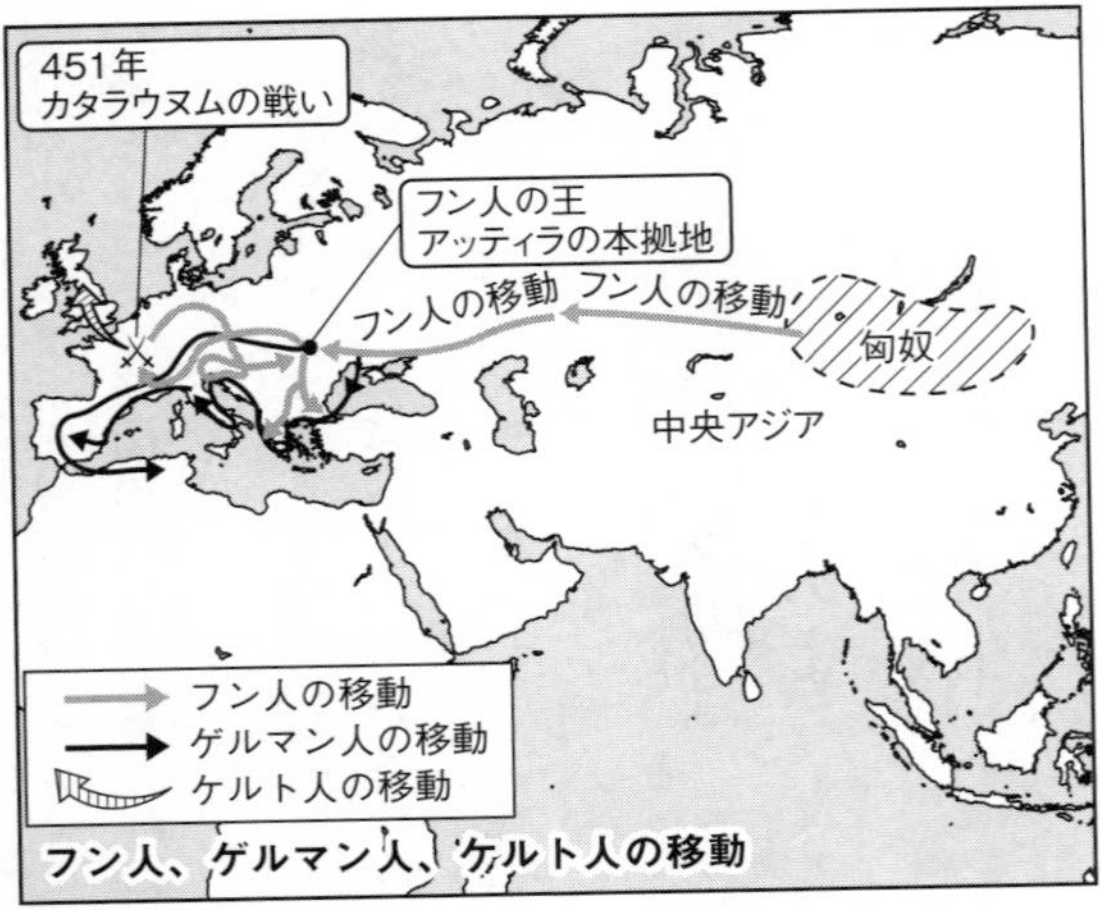

彼らとは、そうゲルマン人！ ゲルマン系の西ゴート族が375年に、ちょうど衰退してきたローマ帝国内に侵入します。軍事費がかさんだローマ帝国はますます衰退し、次々にゲルマン系の諸族（東ゴート、ヴァンダル、ランゴバルド、フランクなど）がローマ帝国内の西ヨーロッパ地域に移動し始めました。これが「ゲルマン民族の大移動」です。

そしてキリスト教を国教にしたテオドシウス帝の死後の395年、ローマ帝国は東西に分裂します。ゲルマン人が多数侵入したイタリア半島やイベリア半島など西欧地域を含む西ローマ帝国（首都はローマやミラノ）と、ドナウ川の国境でゲルマン人の侵入を比較的免れた東ローマ帝国（首都はコンスタンティノープル）とに分かれるのです。やがて476年に、ゲルマン人の傭兵隊長オドアケルによって西ローマ帝国は滅ぼされます。

ちなみにその頃すでにゲルマン人はキリスト教でした。それは、**ローマ帝国がキリスト教を国教に認める以前から、キリスト教はむしろゲルマン人たちに広まっていた**のです。逆に言えば、ゲルマン人が大移動して西ローマ帝国地域で拡散することにより、キリスト教も同時にヨーロッパ地域に拡散し、やがて影響力を無視できなくなって、国教に認めざるを得なくなったとも言えます。〝砂漠の宗教〟キリスト教が、森林地帯であるヨーロッパに根付いたのは、このキリスト教徒のゲルマン人が各地に拡散したからなのです。

ところで、ゲルマン人が西ヨーロッパに移動したということは、そこにもともと住んでいた民族はどうしたのでしょうか？

もともと住んでいたのはケルト人です。彼らも、玉突き的に移動せざるを得ませんでした。こうしてケルト人は、イングランドからアイルランドへとさらに西に移動したのです。

民族や文化でくくりすぎると危険な考え方を生み出すことも……

　ここで、大事なポイントが一つ。皆さんは民族の大移動と聞くと、「根こそぎ全員移動して、元いた場所には跡形も残っていない」と思われませんか？　でも中には、いろいろな事情で残った者たちも多くいたのです。匈奴にも中華圏に残った者たちがいるように。なので、その場に移動してきたゲルマン人や残ったケルト人、そしてローマ人とともにミックスして同化して、現在のヨーロッパ人の祖先になったのです。

　ミックスと言いましたが単刀直入に言えば、なんとなく近くに男女がいると、やがて恋をして性交して、子どもが生まれます。それが起こるのが人類なのです。そしてそれは、人類の大移動中に、それこそ世界の至る所で頻繁に起こったのでしょう。

　ですので民族ごとに厳密に分けて、この民族は「あーだこーだ」と決めつけたり、「我が日本人は……」などと声高に主張するというのは、かなり頭でっかちでナンセンスで短絡的な話です。**僕たち日本人だって所詮は、様々な人たちのミックス**なのです。そして、その場その環境で、そこに住んでいる（ミックスした）人たちが、一緒に生活して、やがて固有の文化が誕生するのです。

むしろ、〝文化〟というのは、個々人が日々生活して、その生活の過程で生み出された様々なモノゴトの特徴を、**あえて後世の研究者が拾い上げたら、「○○文化と言える共通の特徴を持った文化にくくってもよいな！」という代物にすぎない**のです。

例えば、学校ができて、そこに入学して、勉強にスポーツに（恋に？）と学園生活をしているとやがて校風ができます。その生徒が卒業して、新たな生徒が入学してその校風を引き継いで、やがて何代も経過すると伝統になるということと同義です。**歴史というのは結局のところ、個人個人の日々の生活の集積**という感覚を忘れないことです！

ローマ教皇とゲルマン人は もちつ・もたれつの関係

ゲルマン系の諸部族は、4世紀以降ヨーロッパ各地で国を作ります。その中でも、

8世紀に特に力を持ったのがフランク王国です。ただ、その8世紀は、イスラム帝国の勢力拡大が起きていました。マグリブ（アフリカ北部）からイベリア半島まで進出し、ピレネー山脈を越えてフランク王国にまで迫っていたのです。フランク王国は、732年のトゥール・ポワティエ間の戦いで、イスラム帝国の侵略をなんとか押しとどめました。しかし、温暖な地中海はもはや「イスラムの海」になり、ローマが本拠地のキリスト教圏はアルプス以北の寒冷な中央ヨーロッパに移動せざるを得なくなります。

そこで、キリスト教カトリックのトップ・ローマ教皇は、800年にフランク王国のカール大帝（シャルルマーニュ）に、476年に滅んだ西ローマ帝国の「皇帝の冠」を与えます。**西ローマ帝国の復活です。これにより、ローマ教皇とゲルマン人の希望が同時に叶います。**ローマ教皇にとっては、ヨーロッパ北側地域でのカトリックの勢力拡大という念願が達成し、ゲルマン人にとっては、今まで散々野蛮人と軽蔑《けいべつ》されてきた自分たちに、ローマ皇帝という正統性を与えてくれたのです。

こうして**「宗教面の指導者＝教皇」と「政治面の指導者＝皇帝」から成る西ヨーロッパ世界の骨組みができました。**イスラム世界のカリフとスルタンの関係と同様です。

フランスとイギリスが建国！
でも、ドイツとイタリアは誕生しなかった……

カリスマだったカール大帝が死ぬと、ゲルマン民族の分割相続のしきたりにより、国は三分割されます。後のフランス、ドイツ、イタリアへとまとまる各文化の素地ができあがりました。そして962年に、ドイツ地域（東フランク王国）のオットー1世が、ローマ教皇から戴冠《たいかん》（国王が即位したとして、王冠を頭にのせること）を受け、神聖ローマ帝国の初代皇帝になりました。イタリアの都市・ローマの名称を冠していますが、この神聖ローマ帝国はドイツのことです。なんと1806年にナポレオンに滅ぼされるまで、ドイツの各諸侯が戴冠を繰り返しながら神聖ローマ帝国は800年以上続きます。

フランス地域（西フランク）では、カペー朝が起こりフランス王国になります。

さらに、フランスの北岸、ドーバー海峡に面したノルマンディー地方にいたゲルマン系ノルマン人は、11世紀にイギリスに渡り、ゲルマン系のアングロ＝サクソン人を征服してノルマン朝を開きます。イギリス王国の誕生です。

イタリアでは、統一した国家は起こらず、北部は神聖ローマ帝国、中部はローマ教皇領、南部は東ローマ帝国領に分割されていました。どの地域も「ローマ」の名を冠しているのが面白いですね。

その後、北イタリアではヴェネツィア、ミラノ、ジェノヴァ、フィレンツェなど各都市国家が建国したり滅亡したりを繰り返します。そんな状態が19世紀まで続きます。ドイツという国もイタリアという国も、実は19世紀まで存在しなかったのです。僕たちが想像する以上に、国家の枠組みというのは実は曖昧なのではないでしょうか。

こんな風に、**西ローマ帝国の崩壊後、数世紀をかけて現代のヨーロッパ各国の基礎が形作られます。この時代を中世と呼びます。**

中世の時代、西欧キリスト教圏は世界史的に見て、決して文明が栄えた華やかな時代ではありませんでした。世界史の中心は、先講で述べた世界的商業ネットワークを完成させたイスラム帝国と、孤高の中華世界だったのです。

西欧キリスト教世界はイスラム帝国と対峙《たいじ》し、11世紀から13世紀にかけては十字軍を組織しエルサレムまで遠征して戦いを挑みますが、失敗を繰り返します。

しかし**この失敗は、後に多大な恩恵をもたらします。**文明が栄えた先進地域のイスラム世界から、様々な先進文化が西欧世界に持ち帰られたのです。

そして、その当時は忘れ去られていたギリシャ・ローマ文明も、イスラム世界から西欧に渡り、再発見されることになります。それがやがて近代への道を開くのです。

これ、全部同じ人物です

先ほどカール大帝をシャルルマーニュと書きましたが、カールはドイツ語読み、シャルルマーニュはフランス語読みです。ちなみに皆さんご存知かもしれませんが、

「チャールズとシャルルとカールとカルロス」
「ピーターとペーターとペテロとピョートル」
「ジョンとヨハネとジャンとヨハンとイワン」
「マイケルとミカエルとミッチェル」
「アレキサンダーとアレキセイとアレックス」

「キャサリンとカザリンとエカテリーナとカタリナ」

……等々あげればキリないですが、これらは全部同じ名前。各国語で違うだけです。

でも僕らは世界史で人名が出てくると現地読みを基本とするので、それぞれ違う名称と認識していることが多くありませんか？

コロンビアのサッカー選手ハメス・ロドリゲスは英語で言うとジェームスですし、元陸上選手のカール・ルイスとベルサイユ宮殿を作ったルイ14世は同じ名前なんです。

地名だって同様です。ブランド名に「アルマーニ」ってありますが、フランス語でドイツのことですし、英語だと「ジャーマニー」です。『宇宙戦艦ヤマト』に出てくる「イスカンダル」だって「アレキサンダー」のアラビア語読みなだけです。

世界史で名称が出てきた時、それが何を指し、何と同義なのかを気にかけるだけで、ちょっと楽しくなりますよ。お試しあれ！

第9講

紀元前2世紀〜13世紀／
漢・隋・唐・宋、モンゴル

征服の話

王朝の誕生と衰退は、
アイドルの
世代交代と一緒!?

中国の各王朝には"色"がついていた

話は再び中華世界です。紀元前2世紀、前漢の最盛期・武帝《ぶてい》の頃、漢は北の匈奴を倒すため、西の遊牧民大月氏《だいげっし》と連携を図ります。そこで張騫《ちょうけん》が西域に派遣され、中央アジア以西の情報が漢に伝わりました。やがて、皇帝の母方の親族である王莽《おうもう》が政権を奪い取り、新王朝（8～23年）を起こします。しかし、すぐさま農民による反乱・赤眉《せきび》の乱が起こり、劉秀《りゅうしゅう》が漢王朝を復活させます（後漢：25～220年）。

後漢の時代では、西アジアのペルシアや地中海のローマ帝国と交易が行われるようになります。**オアシス伝いに行き来されたその道は、後にシルクロードと呼ばれます。こうして中華世界は、中原から西域に広がりました。**これ以後も、第7講「中華の話」で述べたようなサイクルで王朝が度々交代していきます。

後漢末期になると黄巾《こうきん》の乱が起こり、後漢が滅びます。そして魏《ぎ》・呉《ご》・蜀《しょく》の三国時代（220～280年）と続き、やがて晋《しん》が全土を統一するのです。

ちなみに、易姓革命で交替する**中国の王朝は、それぞれにテーマカラーがあります**。「木（青）↓火（赤）↓土（黄）↓金（白）↓水（黒）」という順で、万物は五つの要素でできていて、それぞれが影響を与え合うという「五行思想」に基づいて色がつけられているのです。

諸説ありますが、具体的には、夏【金（白）】↓殷【水（黒）】↓周【木（青）】↓漢【火（赤）】↓新【土（黄）】となります。なお、夏は殷の前にあった伝説の最古の王朝です。また、秦は始皇帝が「水」を自称したと言われています。

王朝末期に起こった反乱には、次に到来して欲しい王朝の色を名称につけたものが多くなっています。例えば、前漢（赤）を滅ぼした新に対し、漢の復活を求めた運動が「赤眉の乱」。後漢（赤）の打倒を図り、次の土（黄）の王朝を期待して起こった反乱が「黄巾の乱」なのです。その後は、魏（三国時代）【土】↓晋【金】↓北魏【水】↓北周【木】↓隋【火】↓唐【土】と続きます。

遊牧民と漢民族も、支配し支配されミックスを繰り返す

進んだ文明の漢民族と、周辺の野蛮な夷狄たち。そんな中華思想で形成された中華世界ですが、遊牧民＝騎馬民族の侵入と征服が、北から西から定期的に繰り返されました。それはローマ帝国内のゲルマン民族のように、やがて中国領内に定住し、ミックスし、同化し、自らを中華王朝の正統だと呼称する民族も現れます。

そんな遊牧民たち匈奴・鮮卑《せんぴ》・羯《けつ》・氐《てい》・羌《きょう》の「五胡」が混乱期に乗じて中原に次々と国を起こします。4世紀の五胡十六国時代の到来です。遊牧民たちはおしなべて農耕民族の漢民族よりも思考が柔軟で開放的、流動的でした。

この時期、インドから中央アジアまで広まっていた大乗仏教も、シルクロードを通じて五胡の民族に広まって、中国に根を下ろしました。そして、漢民族が重んじた儒教を遠ざけ、諸子百家の道家思想を発展させた無為自然を掲げる「道教」も創始されました。儒教を信奉するということは、自分たち夷狄の方が漢民族の下位にあること

を意味して、それは五胡の皇帝には都合が悪かったからです。

さらに**中国北部（華北）に夷狄の国が次々と起こったため、漢民族はそれを避け、中国南部の長江流域（華南）の開発や朝鮮半島、日本列島への移住も進みました。**この時期、日本には漢字と仏教が伝播し、結果的に中華世界の南東への拡大につながりました。

五胡十六国の後、華北を統一したのは鮮卑の王朝・北魏でした。この王朝では、遊牧民の漢化政策（漢民族との同化）がとられました。**漢化した遊牧民が皇帝になることにより、中華文化自体に遊牧民の特徴がミックスされた**のです。華北の北魏（北朝）と、華南の宋・斉・梁・陳と続く漢民族王朝（南朝）が並び立つ南北朝時代です。

衰退の流れは中国王朝もローマ帝国も一緒

581年に楊堅《ようけん》が隋《ずい》を起こし、中国の再統一が完成します。隋は朝鮮に遠征し、黄河と長江を結ぶ総延長2500㎞の大運河を建設します。これにより、南部の豊富なコメや大軍隊を華北へスムーズに移動させることが可能になり、南北の経済も統一できました。

そして官僚登用試験である科挙《かきょ》を始め、農地を均田制という皇帝の所有に変えたのです。

この大規模工事と行政システムの再編、どこかで見ましたね？　秦の始皇帝の施策に似ています。ということは、秦と同様、無理がたたります。実際に、続いた暴君の二代皇帝・煬帝《ようだい》の圧政に民が苦しみ、反乱が起こりました。これも易姓革命のパターンですね。後から書かれた歴史書によると、**前王朝の最後の皇帝はいつも決まって暴君**なのです。

隋は30数年で、その後300年続く唐（618～907年）に取って代わられます。

ちなみに、この煬帝に聖徳太子は有名な「日出づる処の天子、書を日没する処の天子に致す、恙《つつが》無きや」で始まる遣隋使《けんずいし》を送りました。「自分たちの天皇は中国の皇帝と対等だ」と伝えた書簡《しょかん》だったという説もありますが、日本も正式に、中華世界の冊封体制に自ら組み込まれます。

隋唐帝国は秦漢帝国以来の漢民族の王朝ですが、実は隋の楊堅も唐を起こした李淵《りえん》も鮮卑の出自と言われています。本人たちは漢民族出身を名乗りましたが、中原の支配権を正当化するために漢民族の末裔であることを主張します。唐帝国も歴代の帝国同様、西域に領土を拡大し、隋の均田制を引き継ぎ完成させ、租庸調《そようちょう》という税制の仕組みも作ります。

やがて6代皇帝・玄宗《げんそう》の時に、最盛期を迎えます。しかし、それ以上征服・収奪できる土地がなくなると、衰退に向かいました。外部に拡がれなくなると、内部に入る経済的富も減少します。やがて内部で不満が高まり、腐敗や内紛、内乱が頻発するようになります。

ちなみにこの記述は第5講のローマ帝国の衰退と、全く同じ文章です。**滅びる帝国はみな同じ末路を歩む**のです。

騎馬民族の変遷は アイドルの栄枯盛衰《えいこせいすい》と同じ？

隋唐帝国以降も王朝交代は繰り返されますが、北方の騎馬民族も同様に栄枯盛衰《えいこせいすい》を繰り返します。ある民族が南進して中原で漢民族と同化すると、その空いた北部のモンゴル高原には新たな騎馬民族が登場し、やがて肥大化し、時に漢化され、時に分裂し、その地を去って、再度新たな騎馬民族に入れ替わります。

まるで芸能界に突然デビューして、人気が出て、やがて解散して、次が現れる、男性アイドルグループの栄枯盛衰のようです。匈奴や鮮卑が漢化した後、登場したアイドルは鮮卑に従属していた柔然《じゅうぜん》です。そして彼らは鮮卑の北魏と対立し、やがて衰退します。その後に登場するアイドルが、柔然に従属していた突厥《とっけつ》です。

突厥は6世紀に最盛期を迎え、中央ユーラシアに一大帝国を築きますが、またもや分裂し、滅びます。しかしこの突厥＝トルコ系の民族は西に拡大し、やがてその一派はイスラム教圏でトルコ人奴隷マムルークとなります（第6講参照）。これが後に小アジアまで移動して定住して、13世紀にはオスマン帝国を築き、現在のトルコ共和国の元になるのです。

突厥なき後のモンゴル高原には、ウイグル、キルギス、タタール、キタイというアイドルたちが登場します。ウイグルはイスラム化して現在の中国で新疆《しんきょう》ウイグル自治区を形成していますし、キルギスもイスラム化して中央アジアでキルギス共和国を成しています。

ちなみに香港を拠点とするキャセイパシフィックという航空会社がありますが、このキャセイとは契丹《きったん》が語源です。この契丹人《きったんじん》が作った遼は、宋（北宋：960～1127年）をジリジリと北側から圧迫します。宋は、唐滅亡後に続いた五代十国時代を終了させた漢民族の趙匡胤《ちょうきょういん》が建てた国です。しかし遼は、中国東北部（満州）に登場したアイドル、半農半猟の女真族が作った金《きん》により滅ぼされました。

金の圧力はより強大で、北宋の皇帝一族を連行する靖康《せいこう》の変を起こします。困った北宋は、首都・開封《かいほう》を華南の長江流域の臨安《りんあん》（現在の杭州《こうしゅう》）に移し、南宋（1127～1276年）になります。南宋は長江流域の豊かな稲作のおかげで、世界初の紙幣が発行されるなど経済が大きく発展します。でも政治的には、金の臣下という屈辱を飲むのです。

偏差値重視教育の遠因は朱子学だった!?

屈辱の宋の時代に、中華思想は新たな特徴を身につけ、後世に多大な負の影響を与えることになります。それは、文治主義《ぶんちしゅぎ》と朱子学《しゅしがく》。文治主義とは、北宋で強化された官僚主導の統治方法。朱子学とは、南宋の朱熹《しゅき》により儒教が再構築されて誕生した学問です。

以後の中国王朝は、儒教の経典を丸暗記するという難関な試験制度である科挙に合格しなければ、権力のある地位につくことは不可能になります。でもこれによって、優秀な人材が古典を省みることしかしなくなり、**中華文明の停滞が起こってしまう**のです。

やがてヨーロッパでは近代文明が起こりますが、多大な富と人口を持つ中国で近代文明が誕生しなかった原因は、この文明の停滞に原因があるかもしれません。

また、科挙に合格した士大夫《したいふ》は特権官僚化し、政治の私物化・汚職化が進みます。

優越感と劣等感を併せ持った朱子学にはさらに文明の硬直化を誘発する特質がありました。それは、人間の持って生まれた本性が理《ことわり》であるとする「性即理《せいそくり》」を唱えたこと。本来は自分たちの方が上であるという、上下の秩序・大義名分を最も重んじ礼節を尊ぶ思想なのです。ざっくり言えば、**物事の本質より名や格が大事ということです。これは度が過ぎると、過去重視による未来の否定、継続の重視による革新の否定につながります。**

蛮族（金）の臣下（南宋）に成り下がるという屈辱の中で完成したせいで、朱子学はこんな特質を持ったのかもしれません。

困ったことにこの思想は、後の中国の歴代王朝、朝鮮、江戸時代の日本に採用され、過度の影響を与えてしまったようです。東アジア文化圏特有の権威主義や事大主義、社会の硬直化や閉鎖的構造の要因となります。**現代の日本や韓国の度を越した学歴社会や偏差値偏重などの遠因**であるとも言えます。

モンゴル人が開通させた陸路・海路がヨーロッパを大躍進させた

そして、13世紀の**モンゴル高原に、カリスマ・スーパーアイドルがいよいよ登場です。それは、チンギス・ハン（ジンギス・カン、成吉思汗）**。彼はモンゴル族（蒙古）を瞬く間に統一すると、中央アジアのホラズム朝や西夏を征服します。彼の子孫たちもその勢いに続き、ユーラシアをほとんど支配します。結局、地球上の全陸地の4分の1を占め、人口1億人を持つ史上類を見ないモンゴル大帝国を築くのです。

第2代ハンのオゴタイは、モンゴル高原に首都・カラコルムを建設し、金を1234年に滅ぼしました。モンゴル遠征軍はロシアのキエフ公国を征服し、東欧のポーランドに侵入してワールシュタットの戦いでドイツ・ポーランド連合軍を破りました。

第4代ハンのモンケは、1258年にイスラム帝国のアッバース朝を滅ぼします。**第5代ハンでありチンギス・ハンの孫のフビライ・ハンは、中国全土を征服しま**

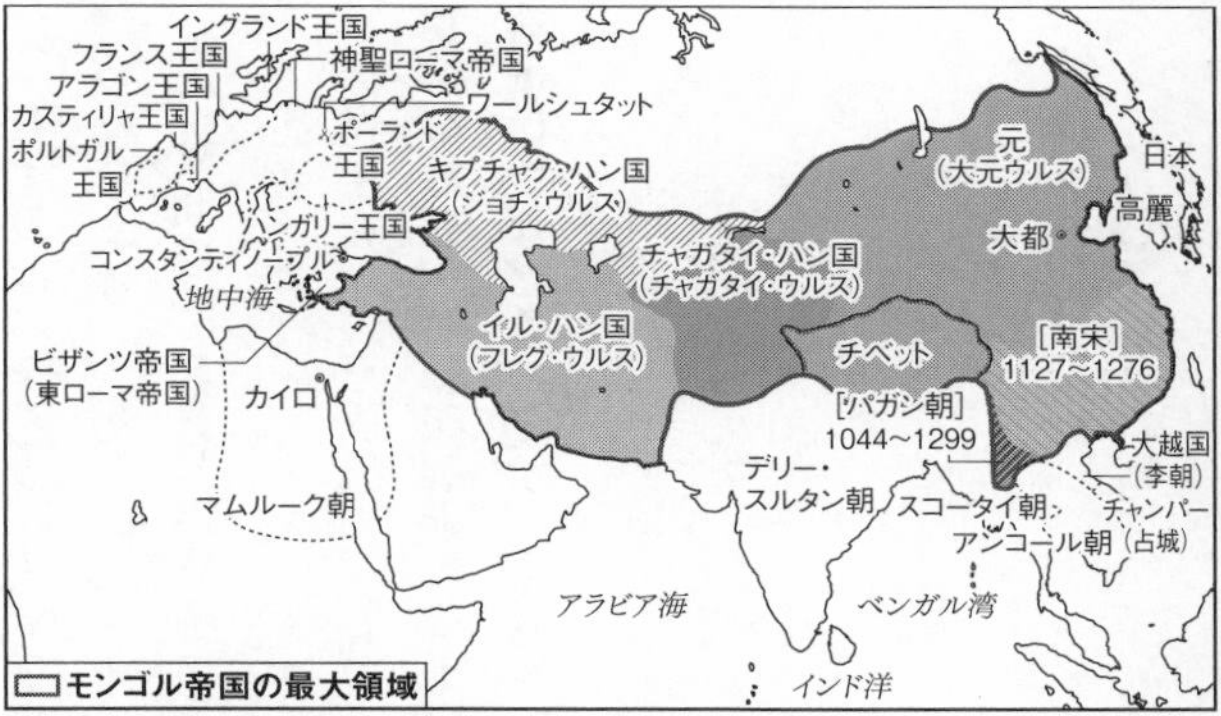

す。1276年南宋を滅ぼし、首都・大都《だいと》を定め、元（1271~1368年）を起こしました。やがて**朝鮮の高麗《こうらい》を服属させ、鎌倉時代の日本にも侵攻します。**これが元《げん》寇《こう》と呼ばれる事変です。

モンゴル人により征服されたユーラシア大陸には、砂漠のシルクロードの「オアシスの道」と、大都からモンゴル高原を経て黒海まで進む「草原の道」が幹線として再編されます。幹線上には、人や馬車が立ち寄れる駅を適度な間隔で設ける駅伝制を導入します。

また、ペルシア湾のホルムズから中国福建の泉州までには、「海の道」と呼ばれる海路を開通させせます。中華圏・イスラム世界・ヨーロッパを結ぶ一大商業ネットワークが形成されたのです。

ヴェネツィア人のマルコ・ポーロもそのネットワークを使って元の大都まで訪れ、『東方見聞録』を著し、「黄金の国ジパング」という名で日本をヨーロッパに紹介したのでした。

停滞する中国を尻目に、このように各文明が交流する一方で、**中国で発明された火薬・羅針盤《らしんばん》・活版印刷術がヨーロッパ世界に知れわたり、その後のヨーロッパ世界の躍進につながる**のです。これって、なんという皮肉でしょうか！

第10講

紀元前7世紀〜15世紀／
インド、ロシア、アフリカ、
アメリカ、日本

周縁の話

周縁で起こったことを知ると、
世界史はもっと面白くなる！

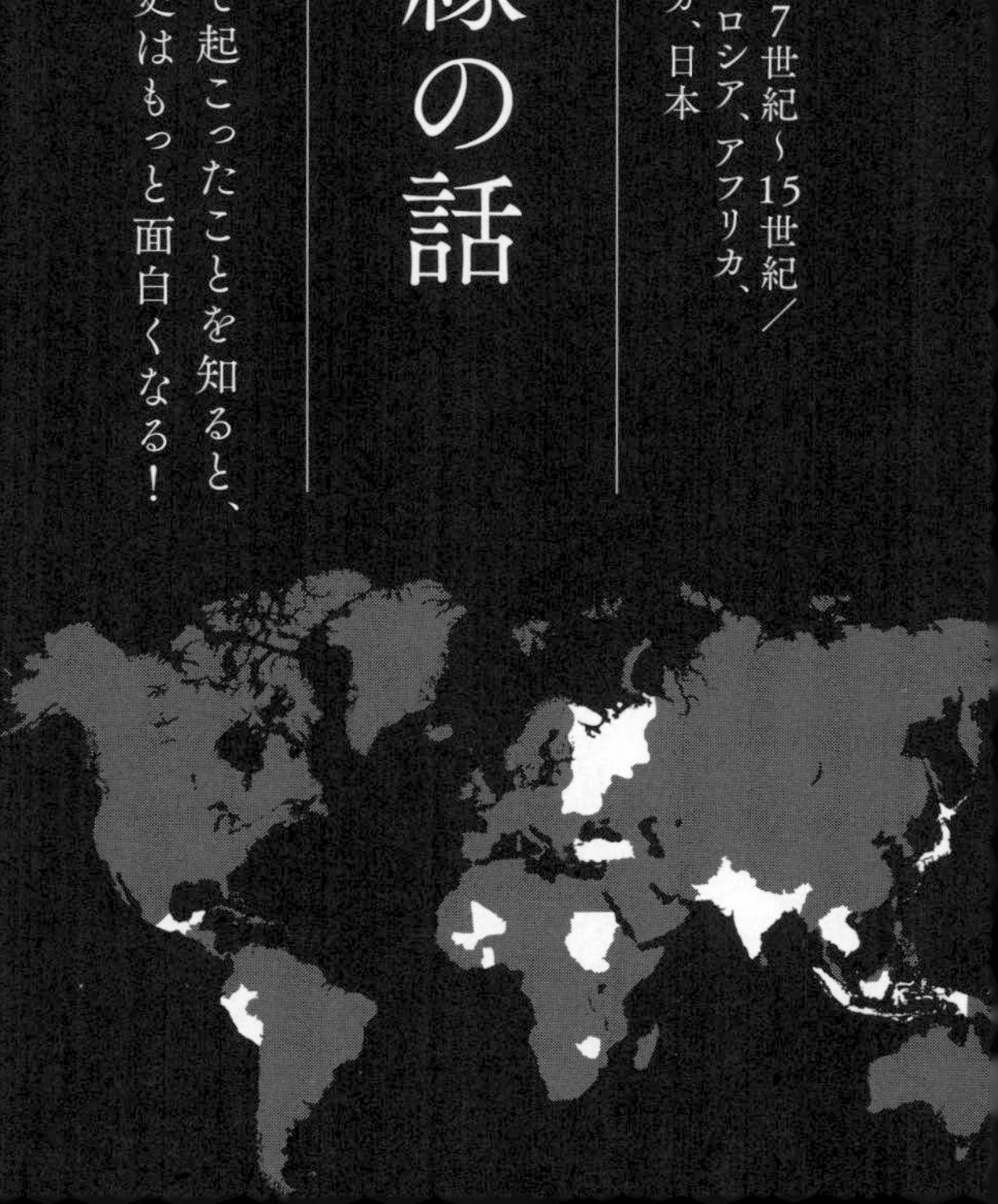

近代とは世界史が一つになる時代

四大文明から始まった世界史の講座も14世紀まで来ました。

ただ正直なところ、ヨーロッパ、イスラム（西アジア）、そして中華文明（東アジア）というユーラシア大陸のメイン地域しか説明できていません。

この先の時代も、世界史はヨーロッパ文明が主軸となって、否が応にも一つにまとまっていくため、どうしてもヨーロッパの話が中心となってしまうのです。もっと言ってしまうと、近代とは実は〝世界が一つにまとまる（のみ込まれる）過程である〟とも言えます。とはいえ、メインの外側の周縁地域でも、当然様々な歴史が起こってきました。

今回はそんな近代以前の世界史では隠れてしまいがちな、世界史の「周縁の話」をします。この周辺の出来事を知ると、世界史をとても深く理解することができます。

インド亜大陸は断絶した存在だった

四大文明には入っていたものの、その後の**世界史から断絶気味になったのが、ヒンドゥークシ山脈とヒマラヤ山脈によってユーラシア大陸と地理的に隔てられたインド亜大陸**です。モンゴル大帝国でも、インドは領土に入りませんでした。

　第4講で出てきた仏教やジャイナ教が起こった当時、ガンジス川流域には都市国家・コーサラ国、マガダ国など十六大国がありました。やがてマガダ国の武将・チャンドラグプタは、アレクサンドロス大王の遠征に備えた強力な軍隊でそれらを統一し、インド初の帝国マウリヤ朝を建てました。

このように**断絶していたため、西アジアからは間接的な影響を受けてきたのが、インド史の特徴**です。

マウリヤ朝が滅亡した後は、インドでは混乱が数世紀も続きます。トルコ系遊牧民が北インドにクシャーナ朝を建てたりした後、4世紀頃には再びガンジス川流域にグプタ朝が起こりました。このグプタ朝で、カースト制を導入したバラモン教と、輪廻からの解脱を説く仏教が融合して、種々な神々が体系化された、現代のインド人の多数が信仰するヒンドゥー教ができあがっていきました。

革命的だった「0の概念」の発見はインド人によるもの

このインドの宇宙観から誕生したのが、**「0の概念の発見」**です。**イスラム世界のアラビア数字に0が組み込まれ、この「無い物を表す」という革命的概念は数学を一気に発展させ、世界中に広まります。**

一方、インド南部では褐色系のドラヴィダ人が南のデカン高原にサータヴァーハナ朝を建てます。それに伴い、北部のガンジス文明が南インドに広がりました。

こうして南インドで発展した**インド文明は、香辛料や金などを扱うインド商人とともに、ベンガル湾から海路を通じて東南アジアへと広がる**のです。

陸路では隔たりがあっても海路でなら関係ない

インド文明は、現在のカンボジアにあたるメコン川下流域のプノムや、ベトナム南部のチャンパーに取り入れられました。カンボジアではプノムの後、クメール人によりアンコール朝が起こり、現存するヒンドゥー教遺跡のアンコール・ワットや都市・アンコール・トムに見られるように興隆《こうりゅう》しました。

さらにマラッカ海峡を通る海路も開かれると、インドネシアのスマトラ島にシュリーヴィジャヤが起こり、血縁者がジャワ島に渡ってシャイレーンドラ朝を建てました。シャイレーンドラ朝と言えば、大乗仏教遺跡のボロブドゥールが有名です。

このように、**山脈でユーラシア大陸と断絶したインド文明は、海伝いに東南アジアへと伝播した**のです。インドシナ半島もインドネシアも、後に西欧人がつけた呼称が名前の由来ですが、この地へのインドの影響力を的確に表した呼称なのかもしれません。

トルコのイスタンブールは昔、東ローマ帝国の首都であった

次は、ローマ帝国の周縁です。395年に、ローマ帝国は2分割されます。西ローマ帝国は、ゲルマン人に早々に滅ぼされます。一方で東ローマ帝国はその後も、イスラム教徒侵入の防御壁となりながら、トルコ人が建国したイスラム教のオスマン帝国（13世紀末～1922年）に滅ぼされるまで1000年以上も続きました。

黒海から地中海への出口という交通の要所にある首都コンスタンティノープル（現イスタンブール）は、アジアとヨーロッパを結ぶ東西文化融合の大商業都市ですが、その背景には、**長年にわたって東ローマ帝国の首都だったという歴史があります。**

最盛期6世紀のユスティニアヌス大帝は、一時は地中海の旧ローマ帝国領まで領土を広げます。キリスト教の一派・ギリシャ正教のソフィア大聖堂を、壮麗なビザンティン建築の様式で建てます。

しかしササン朝との攻防、イスラム帝国との戦いが続いて国力が衰え、エジプトと

シリアを失います。そして11世紀になると、ますますイスラム世界の攻勢が強くなり、**ローマ教皇に支援を求めます。それに西欧カトリック世界が応えた行動が十字軍**なのです。

東西冷戦の原型は
カトリックVS東方正教会

このギリシャ正教というのは、東方正教会を信奉する宗派の一つです。他に正教会は、ロシア正教会、ルーマニア正教会、ブルガリア正教会、ジョージア正教会などがあります。教義が同じですが、国別に分かれていると考えればわかりやすいでしょう。東方正教会は、東ローマ帝国から北方のロシア人やブルガリア人など、主にスラブ人に広まりました。ちなみに奴隷を英語で「slave」と言いますが、これはギリシャ人がスラブ人を奴隷にしたことにちなんでいると言われています。

ロシアでは、10世紀末にキエフ公国のウラジーミル大公が東ローマ帝国からキリスト教を取り入れ、正教会の信徒となります。これにより、スラブ語を書きあらわすため、キリル文字が使われるようになりました。その後キエフ公国はモンゴル帝国に征服されますが、正教会は異民族支配に苦しむロシア人の心の支えとなったのです。

やがてボルガ川の上流に位置する都市モスクワが、キエフに取って代わって隆盛します。モンゴル人の支配が衰えると、モスクワ大公・イヴァン3世は1480年に、「タタールのくびき」と呼ばれるモンゴルの支配からこの地を奪回します。

次のイヴァン雷帝《らいてい》（4世）は、東ローマ帝国が1453年に滅亡すると、モスクワ大公国こそが東ローマ帝国の後継国家であると自称し、ツァーリ（皇帝）を名乗ります。これがその後のロシア帝国へとつながります。**ロシア人が、東ローマ帝国と東方正教会文明の継承者になった**のです。実はこのロシア人の継承者としてのプライドは、後述する20世紀のアメリカVSソ連の東西冷戦にもつながる、西欧カトリック世界VS東方正教世界の対立構造の要因にもなっていきます。

ブラックアフリカが教えてくれる世界史との向き合い方

アフリカは、俗にサハラ砂漠以北のホワイトアフリカと、以南のブラックアフリカに分けられます。**ホワイトアフリカは、今まで見てきたようにエジプト文明から地中海世界に組み込まれ、イスラム教成立後はイスラム勢力圏に入ります。**

一方、**ブラックアフリカはその名の通り、かつてヨーロッパ諸国から「暗黒大陸」という未開の地のように呼ばれました。**それはアフリカの大部分の社会では文字が用いられていないため、歴史の研究がなかなか進まなかったことも原因です。しかし、それは単にヨーロッパが知らなかっただけで、実際には古代から文明があったのです。

スーダンには、紀元前7世紀から4世紀にかけてナイル川上流で栄えたメロエ王国があり、高度な製鉄文明を持っていたらしく、遺跡にはピラミッドが残されています。

エチオピアには紀元前後頃から12世紀にかけてアクスム王国があり、キリスト教の一派コプト教を国教にしていました。その後13世紀にはソロモン朝エチオピア帝国が成立し、なんと1975年まで続いたのです。

サハラ砂漠では、中部にカネム・ボルヌー帝国（8世紀頃～19世紀）、金や岩塩・奴隷の中継貿易で栄えた国家にガーナ王国（7～13世紀）や、ソンガイ王国（15～16世紀)、マリ王国(13～15世紀)など黒人の国家が多数ありました。次講で詳しく述べますが、この豊富な金を求めてポルトガル人はイベリア半島から南下したのです。

その他にも、コンゴ王国(14～20世紀)やグレート・ジンバブエという13～14世紀頃に栄えた文明国家がありました。中東やヨーロッパや中国、インドやインドネシアとも交易していたらしく、遺跡からはオランダ製のガラス瓶や中国製の陶器が出土しています。

文書などに記録されて、後世に知られるものだけが歴史と考えられがちです。でも逆に言えば、**相手が認識しようとしまいと、そこに文明があったことは事実なのです。この考え方も、世界史を勉強する上では重要なポイントとなります。**

アフリカと言うと、僕たちが世界史の教科書で学ぶと、16世紀からの黒人奴隷貿易と19世紀のアフリカ大陸の植民地分割の印象が強く、まるでそれまでは国などなかったように勘違いしてしまいがちです。しかし、実はたくさんの国々が栄えていたのです。

アメリカで文明の始まりが遅れたのは縦に長い大陸だから!?

同様に、第1講で述べたグレート・ジャーニーが行き着いた南北アメリカでも、文明が栄えていました。

中米のメキシコには、メソアメリカ文明がありました。紀元前からユカタン半島で栄えたマヤ文明は天体観測技術にすぐれ、マヤ文字や精緻なカレンダーを作っていました。14世紀から16世紀に栄えたアステカ王国は、建築土木にすぐれ、神殿建築や利水工事で高い技術力を発揮しました。

南米ペルーではアンデス文明が起こり、15~16世紀にかけてインカ帝国が栄えました。精密な巨石文明やマチュ・ピチュ遺跡で知られていますが、文字を持っていませんでした。

これら新大陸の文明は、ウマ、ウシ、ヒツジなどの家畜や、鉄器、車輪、火薬など旧大陸を彩る技術が存在していません。しかし、ジャガイモ、トマト、トウモロコ

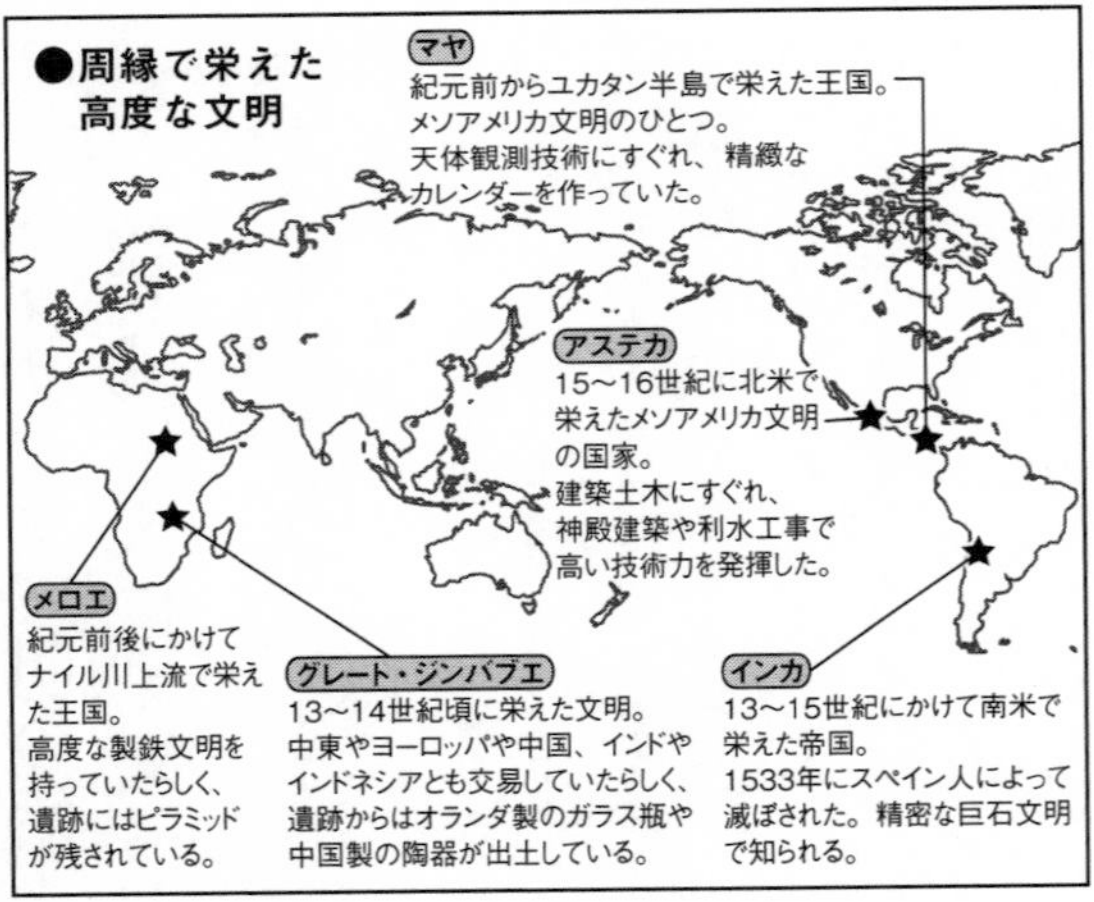
●周縁で栄えた高度な文明
マヤ
紀元前からユカタン半島で栄えた王国。
メソアメリカ文明のひとつ。
天体観測技術にすぐれ、精緻なカレンダーを作っていた。
アステカ
15〜16世紀に北米で栄えたメソアメリカ文明の国家。
建築土木にすぐれ、神殿建築や利水工事で高い技術力を発揮した。
メロエ
紀元前後にかけてナイル川上流で栄えた王国。
高度な製鉄文明を持っていたらしく、遺跡にはピラミッドが残されている。
グレート・ジンバブエ
13〜14世紀頃に栄えた文明。
中東やヨーロッパや中国、インドやインドネシアとも交易していたらしく、遺跡からはオランダ製のガラス瓶や中国製の陶器が出土している。
インカ
13〜15世紀にかけて南米で栄えた帝国。
1533年にスペイン人によって滅ぼされた。精密な巨石文明で知られる。

シ、サツマイモ、カボチャなど旧大陸にない植物が栽培されました。これらは次講で述べる大航海時代により、旧大陸にもたらされます。

ところで、最初の四大文明は全てユーラシア大陸で起こっています。人類がたどり着いた南北アメリカでもその後マヤ・アステカ文明やアンデス文明が起こりますが、だいぶ経ってからです。一体なぜでしょうか？　それは、ユーラシア大陸が東西に長い横長の形で、南北アメリカが南北に長い縦長の形だったからなのです。

人も動物も、**横移動の方が縦移動に比べて移動しやすい**のです！　北半球では通常、南から北に行くと徐々に寒くなります。南北で気候帯や植生や生態系が変わります。そのため、人が縦移動するには、いちいち着替えなくちゃいけません。時間がかかりますし、それだとなかなかおっくうですよね。

ところが横移動は、ほぼ同一の気温条件で（同じ服で）移動できます。なので、**横移動のユーラシア大陸では、各地の交流が活発で、お互いの文明が刺激し合います。でも、縦移動の南北アメリカ大陸では、それぞれの文明は交流がほとんどなかったようです**。横移動が容易なユーラシア大陸では、その後も頻繁に人類は移動を繰り返し、ダイナミックな世界史が誕生していくわけです。

周縁でこそイノベーションが生まれる

そして、このダイナミックな世界史を繰り返すユーラシア大陸の一番の周縁にあるのが、日本列島です。平城京のある奈良はシルクロードの一番東端と言われていま す。そのため、東大寺の正倉院《しょうそういん》には遠くペルシアからの交易品が収蔵されているのです。

ただ日本は、中華文明の冊封体制に組み込まれ、稲作から漢字、仏教など多くのものを、時に朝鮮半島などを経由して取り入れつつも、島国であるため朝鮮ほど中華の影響や支配をもろに受けませんでした。

そして9世紀の遣唐使廃止や、17世紀の江戸時代の鎖国政策などもあり、日本は独自の文化を熟成するに至ります。例えば、「律令制を採用しつつも科挙を採用しない」「漢字から〝かな文字〟を作った」などのように、中心からやってきた文化やシステムを独自に改変していくのが日本なのです。

つまり、中心にあった地域では到底発生しないような物事が、周縁には多く存在するのです。まさに日本は、イノベーションの国と言えるのではないでしょうか。

この傾向は、19世紀の幕末明治の西洋近代文明や20世紀の第二次世界大戦敗戦後のアメリカ文化との関係においても同様です。我々日本の独自の文化は、まさに日本が世界史の周縁に位置していたから成立した文化だと言えるのではないでしょうか?

周縁は確かに世界史の主流ではありません。だからこそ実は、**周縁こそイノベーションが生まれる場所でもある**のです。

第11講

11世紀〜16世紀／
ヨーロッパ、アメリカ、アフリカ、日本

発見の話

「発見」とは
未知が既知になるだけ。
でもその威力は偉大である。

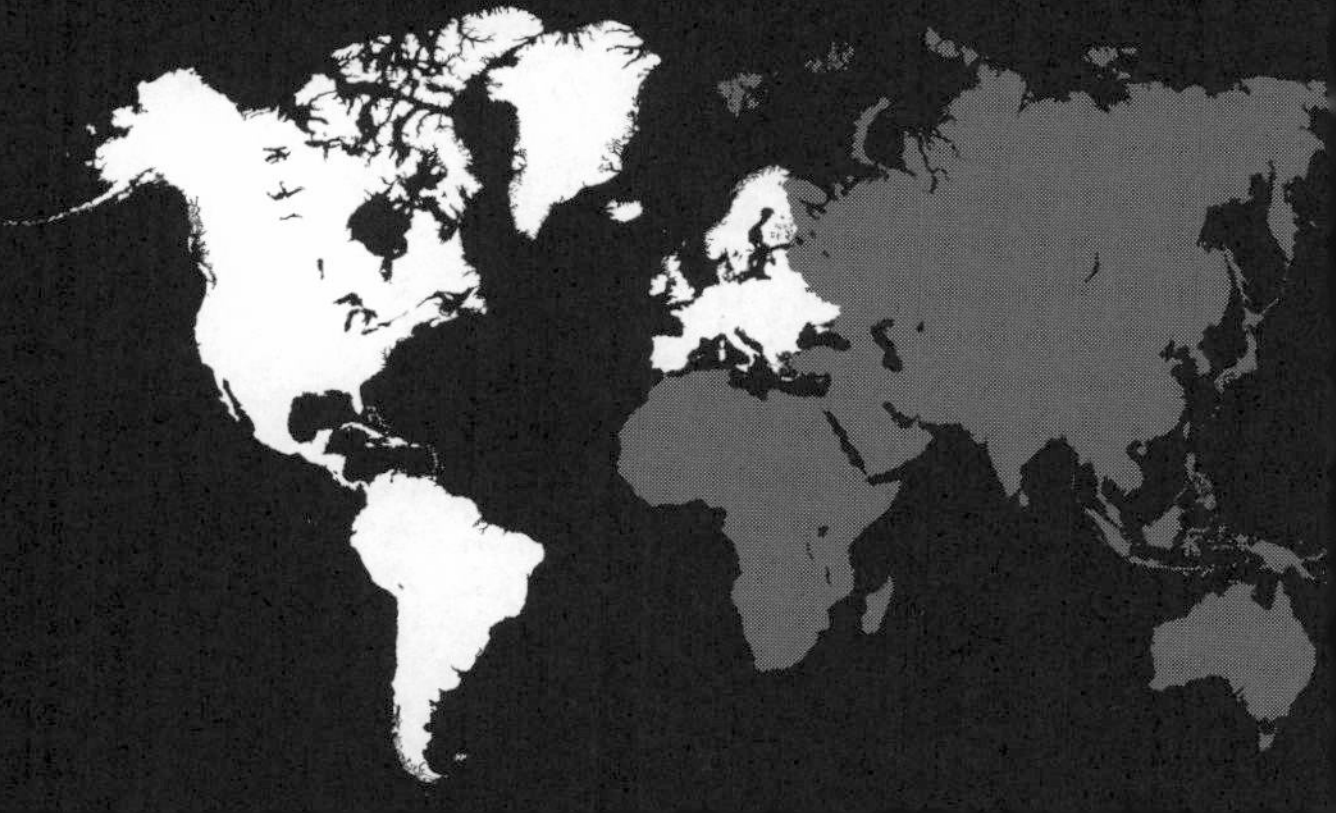

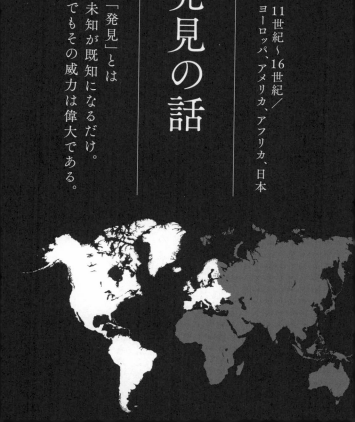

ヨーロッパが繁栄したのは地球が温暖化したから

11世紀の十字軍の頃から中世ヨーロッパ地域では、近代世界史へ変わる契機となる様々な変化が起こりました。価値ある歴史上の「発見」が、それをもたらしたのです。

その頃から気候が温暖化し、寒冷地だったアルプス以北のヨーロッパが暖かくなりました。さらに中世農業革命と呼ばれる**新たな農業器具の発明＝技術革新が起こり、それまで暗い森の世界だった西欧で原生林が伐採されました。続々と畑が開墾され、ムギの収穫量が倍増し、３０００万人程度だった人口が約８０００万人へと一気に増加した**のです。

人口が増加した地域の内部では、多くの人々が行き交うことで都市が発達し、産業が拡大していきます。すると外部とのネットワークが活発化し、やがて外へ外へと拡大していきます。これが世界史のパターンです。

西欧カトリック世界もまずは商業経済が成長し、やがて東西南北に拡大してそのパワーはやがて大海を越えることになります。

神聖ローマ帝国があるドイツ地域では都市も大きくなり、石造りで高い天井とステンドグラスが特徴のゴシック様式の教会が次々に造られました。

北欧では異教徒に対する北方十字軍が結成され、それを主導したドイツ騎士団が、北のバルト海沿岸に侵入する「東方植民」で諸都市を建設。後の19世紀に、ドイツ統一を牽引するプロイセンの元となるドイツ騎士団領となりました。

13世紀にモンゴル帝国が押し寄せると、バルト海を通して、モンゴル支配下のロシアから毛皮、木材、塩漬けニシン等の輸入が盛んに行われます。その貿易を独占したドイツ北部の200以上の都市は、ハンザ同盟を結成しました。ちなみに「ハンザ」は「同盟」という意味のドイツ語です。〝江戸川リバー〟的な〝同盟同盟〟という二重表現ですね！

また、北海を通してイギリスの羊毛を輸入したフランドル地方（現在のオランダ・ベルギー・フランス北部。英語だとフランダース）では、毛織物産業が発展して輸出するようになります。貿易がより複雑にネットワーク化していったのです。

商業の強さで存在感を増し、国名の由来にまでされた都市も

次は、ヨーロッパ南部を見てみましょう。

十字軍によりもたらされた東ローマ帝国とイスラム世界が保存していた、**ギリシャ・ローマ時代の思想や天文学や物理学が「再発見」されます。**

地理学が発達し、モンゴル帝国から中国で生まれた羅針盤が伝えられると、航海術も発達します。イタリア半島では、ローマ教皇がいるローマよりも、各商業都市が東方との香辛料の海運業で隆盛しました。

当時の主要な貿易品目が、北欧貿易では塩漬けニシンで、南欧貿易では香辛料だったことに注目です。冷凍技術がなかった昔の食料の長期保存法は、塩漬けにするしかありませんでした。だからこそ、腐り気味の肉の臭み消しとして、香辛料は必須だったのです。

当時のイタリアの諸都市とは、アマルフィ、ピサ、十字軍を通して東ローマ帝国と

交流したヴェネツィア、その後モンゴル帝国との商業で勢力が伸長したジェノヴァ、そして商業に必須な金融業で繁栄したフィレンツェなどです。イタリアは、これらの都市を持つ国々と、ローマ教皇領が領土を分け合う状態で19世紀まで続きます。

東ローマ帝国が1453年にオスマン帝国に滅ぼされると、東ローマ帝国と交易していたイタリア商人たちは、東地中海に代わり西地中海に目を向けます。そうした中で地中海→フランドル地方→北海→バルト海の「ヨーロッパ西岸」を回廊とする貿易が活発化し、そのルート上のイベリア半島にあるスペイン・ポルトガルがやがて隆盛するのです。**いつの時代も、商業が盛んな地域が隆盛するのが世界史なのです。**

良港であるポルトガル第一の都市・リスボンは、イタリア商人の一大拠点。第二の都市・ポルトはその名がずばり港（porto）で、名前が国名の由来になるほどの港の国、それがポルトガルなのです。

キリスト教国になることでスペインは息を吹き返した

イベリア半島が隆盛したもう一つの原因、それは8世紀以来イスラム帝国の支配下にあったイベリア半島で起こった国土回復運動です。この運動は、キリスト教国による再征服活動で、レコンキスタ（再征服）と呼ばれます。

その中核となったカスティリャ王国（お菓子のカステラの語源）の「カスティリャ」とは「城塞《じょうさい》（英：castle）」という意味。まさに城塞を次々作りながら、イスラム教国を南へ南へと退却させせました。

このカスティリャ王国がスペインの母体で、そこから12世紀半ばに分離した西部地域がポルトガルです。

１４９２年、最後まで残った南部のイスラムのナスル朝グラナダ王国を追いやり、キリスト教国によるイベリア半島の再征服が達成されます。

この１４９２年は、もう一つの**世界史的な事件が起こりました。コロンブスによる**

後に「アメリカ」と呼ばれる新大陸の発見です。地理上の発見とも言われます。

ちなみに「発見」とは言わず「大航海時代」と言うことが多いらしいです。「もともと〝あるもの〟に発見っておかしいだろう？　それはヨーロッパ人側から見た一方的立場の西欧中心史観だ！」という解釈らしいですが、でもそれを言ったら「発見」なんて、もともと全て「あるもの」に決まっています。

未知のものが既知になることが発見です。よって、この時代にヨーロッパ人たちが知らなかった新世界を知ったという発見の事実が重要なのです。

大航海時代と言い換えたって、その航海をしたのは西欧人たちですから、結局「西欧中心史観」を排除しているとも言えません。むしろその時代の西欧人の特質＝「発見の欲望」が見えにくくなってしまうのではないでしょうか？

なので本書では、「発見」と堂々と表記します！　なにせ、**ヨーロッパはこの新世界を発見することにより、発見したものは全部自分たちのモノにしました**から。そして**一気に世界史の中心に躍り出た**のです。

社名などに付けられる由緒正しき名称になります。

その後、**ポルトガル人・カブラルはブラジルを発見します**（なので、ブラジルだけが南米でポルトガル語なのです）。

イギリスも負けじと、ヴェネツィア人・カボットに北大西洋探検をさせ、ニューファンドランド島を発見します。というかニューファンドランドという名称が〝新しく見つけ出した国〟って意味ですが！　それが、北米へのイギリス進出のきっかけになります。

やがて**ポルトガル人・マゼランの船隊は西回りに、1519年から1522年にかけて世界一周を果たし、太平洋を発見**します。

日本は銃とキリスト教を発見させられた!?

そして**スペイン人による新大陸の征服・キリスト教の伝道、富の略奪が始まります。**

スペイン人コルテスは1519年にメキシコのアステカ王国に侵入し、わずか3年で滅ぼします。また、スペイン人ピサロは、1532年にペルーのインカ帝国を滅ぼします。どちらもわずかな兵力で大帝国を滅ぼしたのです。それは、新大陸の人々にとっては今まで知らなかったウマ、鉄砲、伝染病の一種である天然痘《てんねんとう》の発見でもありました。こうしてこれらの地は、スペインの植民地になっていきます。

やがてポルトガル商船は中国の明にやってきて、マカオに居留地を確保します。1543年には戦国時代の日本の種子島に銃が到来し、1549年にはカトリックの宣教師フランシスコ・ザビエルがキリスト教を日本に伝えました。**日本人は鉄砲とキリスト教を発見した、いや……発見させられたのです。**日本史で出てくる南蛮《なんばん》貿易の南蛮人とは、ポルトガル人とスペイン人のことです。

世界史は、ヨーロッパ人の発見への欲望によって、本来の意味での世界の歴史になりました。まさにこの時代、人類は世界史を発見したのです。

第12講

14世紀～17世紀／ヨーロッパ

芸術と科学の話

法則がシンプルで美しければ、科学的に正しいとなってしまう！

芸術が花開いたのはパトロンのおかげ

11世紀の十字軍によって、それまで東ローマ帝国とイスラム世界に保存されていたギリシャ・ローマ時代の思想や天文学や物理学が、ヨーロッパ人に再発見されました。また、商業が発達したことで、もう一つ発見されたモノがありました。それは「芸術と科学」です。富が手に入ると、生活に余裕が生まれます。すると、物質的な利益に向けられていた人々の欲望は、より昇華して精神的な満足を求めるようになりました。

こうして14世紀に入ると、**「キリスト教会に抑圧されていた精神を解放するぞ」という人間中心主義が掲げられて、芸術が花開いたのです。そこにイスラム世界から流入した最新の自然科学の知識が融合して、科学が生まれました。**

この一連の動きを「ルネサンス」と言います。もともとルネサンスとは「再生」という意味の言葉です。14世紀のイタリアで始まり、やがて16世紀にかけてアルプス以北に広がります。この「芸術と科学の再生＝ルネサンス」が近世の幕開けになるのです。

ルネサンスを主導したのは大商人や貴族たちでした。イタリアのフィレンツェで貿易と銀行業で富と権力を手に入れたメディチ家などが、その代表です。**金持ちが天才たちのパトロンとなり芸術を育みます。**

『神曲』を書いたダンテ、『デカメロン』を書いたボッカチオ、システィナ礼拝堂に『天地創造』を描いたミケランジェロ。そして、『モナ＝リザ』や『最後の晩餐』などの芸術と、機械・建築・土木・解剖学・天文学などあらゆる科学に精通した世紀の天才レオナルド・ダ・ヴィンチなどはみな、そういったパトロンの援助で才能を開花させました。

「科学」が明治維新を起こさせた！

現代文明の礎《いしずえ》となったのは「科学」です。ルネサンスで中世を抜け出したヨーロッパから発信された科学は、全世界へと飛躍的に進歩を遂げながら広まりました。

それが日本にやってきたのは、19世紀。**科学がやってきたことで、江戸時代の鎖国を抜け出して日本は開国したのです。**日本の鎖国を打ち破った切り込み隊長は、ペリーが乗ってきた黒船。蒸気機関で動く船でした。まさに当時の科学の粋を集めて作られた「技術」を目の当たりにした江戸時代の人々は、度肝を抜かれ明治維新という歴史が動いたのです。

明治維新から約150年。我々日本人は西洋からやってきた科学を信奉しつつ、応用発展させて科学技術として使ってきました。原発事故や環境破壊など様々な行き過ぎや問題を抱えながらも、僕ら現代の人間が科学を捨て去って生き続けることは、もはや不可能でしょう。それくらい科学が世界史に残したインパクトは大きいのです。

現代の僕らが科学を信奉するのは、そこに厳密性と客観性があるからです。あるデータをある公式に当てはめると、同じ条件下なら同じことが起こる。つまり、西欧で起こったことは日本でも起こるのです。厳密性と客観性があるから、僕らは科学を「技術」に応用することができるのです。逆に言えば厳密性と客観性がなければ、科学ではありません。厳密性と客観性がない現象とは、例えば超能力だったりUFO

だったり、一般に「オカルト」と称されるものです。オカルトとはいわば思い込みです。現在でもオカルトを頑なに信じている人たちがいますよね。

とはいっても、魔術や占星術など**オカルトと思われるものは、ルネサンス期にはむしろそれこそが科学でした**。さらに言ってしまうと、**現在我々が信奉している科学も、実はある種の思い込みから始まっていた**のです……。

科学的に正しいかどうかが、美しいかどうかで決まってしまう

地球は太陽の周りを回っています。皆さん知っていますね？　これを「地動説」といいます。って、そんなこといまさら書くのは恥ずかしいくらいの常識ですが。

地動説は16世紀に、ポーランド人の天文学者でカトリック司教でもあったコペルニクスという人が唱えました。コペルニクスが天文学者という点はいいとして、問題は司教でもあったという点です。そうなんです、**コペルニクスはキリスト教の敬虔な信者でした。つまり宗教を最も信じている人だったのです。**

当時のキリスト教世界では地球は宇宙の中心で、太陽や月、あらゆる星々は地球を中心に回っていると考えられていました。これが「天動説」と呼ばれているものです。この考え方は、神様が世界を作ったというキリスト教の世界観にぴったりはまっていました。

確かに、僕らが空を見上げると太陽も月も東から西へ回っているように見えます。普通に生活していて地球が回ってると身体で感じることはまずできません。大多数の人が、天が動いていると思い込むのは極めて自然だったのでしょう。

「地球の周りを、全ての星が綺麗に周回している。なんて美しい世界なんだろう！全知全能の神が造りたまいし世界なんだから当たり前だ！」

この、美しいに決まっているという思い込み……。そうなんです、**天動説が正しいとされていた最大の理由、それは、その考え方が「美しい」から**なのです。「地球の周りを美しく円運動する天体たち！　さすが、神様!!」ってなもんです。

「地動説」はオカルトから生まれた⁉

ところが、問題が起こりました。発端は、観測技術の発展です。レンズの改良が進み、精度の高い望遠鏡ができて、厳密に観測した結果と、「美しい！」と称賛され続けてきた天動説の円運動の理論との間に、誤差が発生したのです。

天文学者たちは困りました。そこで円運動を重ね合わせてみました。地球の周りを円運動する点に、さらに回る円＝周転円を回る星を持ち込んだのです。二重の円が絡まった世界。それで美しさは保たれました。ちょっと複雑にはなりましたが、とりあえず一安心。

でもコペルニクスの時代、16世紀になると観測技術がさらに発展。またまた観測結果と天動説の理論に誤差が生じたのです。天文学者たちはまたもや困りました。

そこでさらに円運動を重ねたのでした。地球の周りを円運動する点を、さらに円運動する点を、さらに円運動する星。三重の円が絡まったかなり複雑な世界です……。

それでも、一応なんとなく天動説の理論の計算結果と観測結果の整合性は取れているのですが、その時コペルニクスは思ったのでした。「ぜんぜん美しくないじゃん……。それじゃ意味ないじゃん！」

そこで敬虔な宗教者であるコペルニクスは考えました。

「私の愛すべき神様が、そんな美しくない世界を作るわけがない！ってことは、この天動説が逆に間違っているのではないか？」

試しに彼は、**地球を含む全ての天体が太陽の周りを回るモデルを作り、計算し直しました。そしたらなんと、シンプルな地動説の世界ができあがったのです。**

「これだ。これに決まってる！神様が作った世界の美しさは、この太陽が中心の世界なのだ!!」

コペルニクスは神様を信じるからこそ地動説を唱え、教会が信じる天動説を否定したわけです。「自分の方が、神様を信じてるから正しいんだ！」という思い込みですね。

しかし、彼は自分の著作『天球の回転について』の発表を生前は認めませんでした。教会の迫害を恐れたんでしょうね。彼の死後に発表されましたが、その後ローマ教皇庁は閲覧禁止にしています。

その後ガリレオ・ガリレイの登場によって、地動説の研究は飛躍的に進みました。ガリレオは宗教裁判にかけられ自説を曲げましたが、「それでも地球は回っている」という発言は有名ですよね。実際に彼がそう言ったという確固たる証拠は存在しませんが、伝説として現在に至るまで思い込まれています。

このような経緯で、やがて地動説が採用されることになったのです。

シンプルで美しければ真逆のことでも正しくなってしまう

天動説から地動説。まさに「思い込み」が、見事180度、正反対にチェンジしました。このようなある時代に通用している思い込みを、トマス・クーンという科学史家は「パラダイム」と名付け、パラダイムが変わることを「パラダイム・チェンジ」と呼びました。このような**パラダイム・チェンジが度々起こるのが世界史**です。

現在では考え方が180度変わるような衝撃的なパラダイム・チェンジを、「コペルニクス的転回」と言います。そしてこのコペルニクス的転回の裏に隠された思い込みが、その後の科学の潮流を作り現在に続いています。

現在でも、

「あらゆる仮説は、数学的にシンプルな方が美しいから正しい」

そんな根拠のない思い込みから、科学は単にそうなっているのです。

美しいから正しい……。この言葉から、芸術を思い浮かべませんか？　そうなんです、芸術と科学は、実は同じ存在を違う観点から見ているだけなのかもしれないのです。まさに思い込みで、芸術は発展し、科学は進化してきたわけです。

そんな**思い込みが実は今でも根拠なく世界中で信じられ、そしてさらなるトライ&エラーを繰り返しながら世界史を動かしている**のです。

第13講

1万年前～現在／全世界

国家の話

国の種類は
たった二つしかない。

意外に知らない？国家の正式名称

これまで、「国だ」「国家だ」と語ってきましたが、そもそも国家とは何なのでしょうか？　最初の国は、約1万年前に誕生したと言われています。人が集まって、防御のための城壁や治水作業等を集団で行うことで、それをコントロールしやすくするための政治体制として、国家は誕生しました。

ただ、一言で国家と言っても、「王国」や「帝国」、その他にも「公国」「共和国」「連邦」など、様々な呼ばれ方があります。そこでこの講では、国家という概念を整理してみましょう。現在世界には200近い国家がありますが、国家には普通、その通称とは別に正式名称があります。例として国連の常任理事国を挙げてみましょう。

・アメリカ→アメリカ合衆国
・中国→中華人民共和国
・ロシア→ロシア連邦

・フランス→フランス第五共和国
・イギリス→グレートブリテン及び北アイルランド連合王国

イギリスの正式名称がこんなに長いという事実を知ってましたか？　ちなみに**我がニッポンの正式名称は「日本国」といたってシンプル。**何もつきません。１９４５年8月15日の終戦前までは「大日本帝国」でしたね。あの敗戦で大日本帝国はいったんなくなり、日本国に変わりました。

国の種類を見ていくと王国と共和国だけとなる

国の種類は一体どれくらいあるのでしょうか？　国の種類を把握するだけで、世界史がぐっと身近に感じられますし、現代社会を把握するのにも役立ちます。

国にはいろんな種類があるように見えますが、**実は大きく分けてたった二つしかありません。「王国」と「共和国」の二つ。あとはそれを少し言い換えたり、その応用形だったりするだけ**なのです。ね、簡単でしょ？

では**王国と共和国の違いは何なのでしょうか？　それは「国の一番のお偉いさん、つまり〝代表者〟をどう選んでるか？」という選び方の違いでしかないのです。**

神が選ぶか？　人が選ぶか？
代表者の選び方に注目

国には代表者がいます。国によって微妙に違いますが、代表者の呼び名が決まっています。**王国の代表者は「王様」で、共和国の代表者は「大統領」。基本的にはこの二つだけ**だと思ってください。ではこの二つの違いは何なのでしょうか？

王国の代表者である**「王様」を選んだのは神様**です。昔々、神様が「あなたがこの国の代表になりなさい！」と選んだのです。神様から選ばれた代表者の子孫が歴代の王様ということになります。

では共和国の代表者である**「大統領」を選んだのは誰か？　それは「人」**です。みんなが「この人が、この国の代表者でもいいかな！」と選んだ代表者が大統領なのです。

大事なポイントは、代表者を選んだのが神なのか人なのかということです。神様が選んだということになっていても、実際は集団の中の最も力のある有力者を、自薦か他薦かで選んだだけだったのかもしれません。そうやって選ばれた王様の次の代をその息子が継ぎ、その次をそのまた息子が継ぎ……というように何代もやってるうちに、いつの間にか「古《いにしえ》に神様に選ばれた由緒代々王様の家系だ」ってなっていったのでしょう。それが「王朝」です。王国や帝国を○○朝と呼ぶことがよくありますが、その王様を継いだ家系の名称なのです。

イギリスを例に挙げると、「ノルマン朝→プランタジネット朝→ランカスター朝→ヨーク朝→テューダー朝→スチュアート朝→ハノーヴァー朝」という感じ。

現在は「ハノーヴァー朝」を「ウィンザー朝」と言い換えています。というのもハノーヴァー家はドイツから王様が迎え入れられて始まったのですが、第一次世界大戦の時に敵国ドイツの名称を想起されるのを嫌ったからです。王室のあるウィンザー城にちなみ、ウィンザー家を名乗ることにしました。

フランスの場合は、「カペー朝→ヴァロワ朝→ブルボン朝→王政廃止」という流れです。王政廃止以降、大統領が選ばれるようになり、共和国になります。

現在のフランス第五共和国とは、革命や戦争などにより様々な政体が変更していって誕生した国です。「王政→フランス革命→第1共和政→ナポレオン登場→第1帝政→王政復古→二月革命→第2共和政→ナポレオン3世登場→第2帝政→普仏戦争敗退→第3共和政→第2次世界大戦→第4共和政→ド・ゴール大統領→第5共和政」と変化して今に至るわけです。

日本は、天皇家という王朝がずーっと続いています。それが世に言う「万世一系」です。たとえて言うなら、**社長を創業者一家から選んでいるのが「王国」で、社内で公募して決めているのが「共和国」**です。

第5講のローマ帝国の話でも触れましたが、もともと「ローマ共和国」だったのに、権力者が権力を独占してやがて皇帝になり、国が「ローマ帝国」に変わったケースもあります。

国の種類は、王国と共和国の二つしかありません。残りの様々な国家は、みんなこの二つの応用形なのです。それを次に見ていきましょう。

「連邦」って何？

複数の国が集まって一つになったのが連邦です。王国が集まった国が「連邦王国」や「連合王国」、共和国が集まった国が「連邦共和国」です。ちなみに、その一国一国の大小は関係ありません。

例えばスイスは、小さい国々（日本で言うと県みたいですが）が集まって成立している国なので「スイス連邦」です。

アメリカ合衆国は「United States」つまり、国（州）が連合したという意味なので、概念的にはアメリカ連邦共和国とも言えます。

イギリスは「United Kingdom」なので、イングランドとスコットランドの王国が連合した王国です。

さらに、王様を首長と呼んでいる「アラブ首長国連邦」というのもあります。

「公国」って何？

公国は、王国の応用型です。昔々、神様が選んだのが王様だと言いました。その王様の周りの血縁者、つまり神様に選ばれた人たちの末裔が貴族です。

貴族にはランクがあり、王様の次に偉いのが公爵です。その**公爵が支配する国が、結果として一国になる形で存在しているのが「公国」**なのです。

会社に例えると、本社の部長が下請けの子会社の社長を兼務している場合がありますよね。そんな感じです。

現代では、ルクセンブルク公国とかリヒテンシュタイン公国がありますよね。それは、ドイツを中心とした中部ヨーロッパに長年神聖ローマ帝国という本社が存在していたのに、それに起因する子会社が、本社がなくなった今も存在しているというイメージに近いでしょう。

では、「帝国」とは？

そして帝国。帝国の代表者は、これもいろんな呼び名があって国によって違いますが、一般的にはエンペラー＝皇帝です。第7講で見たように、皇帝という言葉は秦の始皇帝が初めて使いました。

ではそもそも、**皇帝とは何なのかと言えば……、「王様を支配している王様＝"King of Kings"」という意味**でした。お偉いさんより偉いお偉いさん、それが皇帝ですね。王国を支配しているので帝国ということになります。会社で言うと、さしずめ各グループ会社を束ねるホールディングスの会長とでも言いましょうか。

このように、ある領国を支配しているのが帝国なのです。イギリスも第二次世界大戦前は「大英帝国」と言っていましたね。それは、イギリスがインド、カナダ、オーストラリアなどを支配していたからです。

日本の場合は、国の代表者は天皇陛下で、当時は台湾と朝鮮を支配していましたので「大日本帝国」でした。第二次世界大戦に敗れ、天皇は少なくとも皇帝ではなくなります。では、その前の日本国の王様に戻ったのかというと、実はそれも曖昧です。日本国憲法には「天皇は日本国民の象徴」である、と書いてあります。

象徴というのは、代表でありながら権限はないということを言い換えているのでしょうが、王国を名乗るわけにもいかず、何となく国の代表者もぼかして、「えーい、よくわからんから〝国〟でいいや。〝国〟だけ付けとこう！」ということで日本国になっているのだと思うのです。極めて日本的曖昧さですね（笑）。僕は好きです。

共和国を名乗りながら大統領がいない国

中国は中華人民〝共和国〟なので、「大統領がいるはずだ！」という話ですが、実際はいません。中国の一番のお偉いさんは国家主席です。なぜでしょうか？　それは、中国が社会主義の共和国だから。**社会主義の国では、その国の代表は人ではなくて会議**なのです。みんなで偉い人を選ぶのではなくて、みんなで選ぶ会議が一番偉いという考え方です。

世界初の社会主義の国、今のロシア=ソビエト連邦では、一番偉い代表は「ソビエト」という名の会議でした。だからソビエト連邦と名乗ったのです。

中国の場合、その一番偉い会議は全国人民代表大会（全人代）で、**国家主席とはその偉い会議の中で一番偉い人**ということです。もうなんか複雑ですが……、そんな感じです。

さらに北朝鮮=朝鮮民主主義人民共和国の場合は、その偉い会議の一番偉い人を王国のように世襲しちゃおうという話だから、話がもっとややこしくなるのですが。

世界史にはどんな時代にも様々な国が出てきますが、この2種類を理解してみると、だいぶわかりやすくなります。

第14講

15世紀、16世紀／ヨーロッパ、アメリカ

約束の話

「誠実に約束させることが、戦争を生む」という悲劇。

今は公平な約束も、最初は不平等なものだった

人間が集団で生活するのに不可欠なのが、人と人とが交わす「約束」です。

そもそも**神と人間との約束が宗教**であり、**人間同士で取り交わした約束がルールであり道徳であり契約**です。そして、**人々が国家や権力者と交わした約束が法律や憲法**なのです。

今、日本で改正問題の議論が沸き起こっている**「憲法」とは、そんな国家と国民が交わした最上位の約束**です。なので僕たち自身が、僕たちの意思で国家と約束する必要があります。

しかし、太古の昔から取り決められてきた約束の多くは一方的であったり、押し付けであるものばかりでした。双方の希望が一致したものではなく、公平でもありませんでした。弱き者が強き者により約束させられるのが、世の常だったわけです。

でも、時代が過ぎるごとに環境変化や技術革新に応じて、約束の力関係は刻々と変

化していきました。西欧世界が中世から近代を迎える契機とは、こういった約束の劇的な変化によってもたらされたのです。

現代に生きる僕たちも、国家や社会、会社や学校との間であらゆる約束がありま す。その約束の多くは双務的で公平であるべきだと配慮されているはずです。しかしそれは、**歴史の先人たちが、反抗し、闘い、さらに維持するための努力をし続けてきた成果**です。もし、**現代の我々が不断の努力を怠れば、その約束はすぐ一方的なものに変わる危険を常にはらむもの**です。

世界史を深く知るにあたって、約束というのは重要なキーワードとなります。

化けの皮が剥《は》がれた権威は失墜《しっつい》する

そもそもヨーロッパでゲルマン人が王国を作った当初は、彼らの権威をローマ教皇が約束する形で皇帝を名乗っていました。要するに、教皇の方が皇帝より強かったのです。教皇の最盛期の1077年には、教皇・グレゴリウス7世に破門された皇帝・

ハインリヒ4世が、カノッサ城外の雪の中で涙ながらに許しを請うた「カノッサの屈辱」という事件があります。

しかしその後、十字軍の失敗で教皇の権威は徐々に失墜していき、1309年にはフランス王がローマ教皇をフランスのアヴィニョンに強制移住させる「教皇のバビロン捕囚」という事件がありました。各国の王権が教皇の権威をしのいだのです。**権威という約束事は、その有効性が減少すると、やがて権威そのものも失墜していく**のです。

ヨーロッパ世界で人々が交わした約束事は、封建制度（フューダリズム）と呼ばれていました。**国王が諸侯の領地（封土＝feudum）を守る代わりに、忠誠と軍役を約束させ、諸侯も同様のことを臣下の騎士に約束させたのが封建制度**です。

「臣下の臣下は、臣下でない」という言葉があります。直接に主従関係を約束していなければ、要するに「臣下の臣下」は「主君の主君」に対して主従関係を約束していないという考え方です。「封建的無秩序」と言われたこともありました。

そして領地は荘園と呼ばれ、そこを耕す農民はその土地に拘束され、賦役《ふえき》、貢納《こうのう》、結婚税、死亡税、人頭税など多くの義務と重い負担を約束させられていました。彼ら農民は、カトリック教会にも生産物の十分の一の税を納める約束をさせられていました。農民は土地とともに売買、譲渡の対象でした。つまり農民は、領主の財産だったのです。

イギリスには憲法がない

やがて、11世紀以降の十字軍に参加した諸侯や騎士は遠征の失敗で没落し、封建制度が有名無実化します。

一方で、中世農業革命による人口増大や商業の発展によって、アルプス以北の都市は発達していました。そんな**裕福な都市の代表たちと、力をなくした領主・聖職者と、力を信任されたい国王が、新たな約束を話し合って直接結ぶことになります。**

それがイギリスのイングランド議会、フランスの三部会、神聖ローマ帝国の帝国議会などの身分制議会です。イギリスでは1215年に、貴族たちが国王の圧政を抑えるために要求を突きつけたマグナ・カルタ（大憲章）が制定され、やがて要求を定期的に突きつけるため議会へと発展していきました。

ちなみに、**近代議会発祥の国イギリスには憲法はありません。**国王に要求したマグナ・カルタに始まって、それ以後国王に要求した数々の約束事が複合して、やがて慣習法となって、現代も国家と国民の約束を維持しています。

13世紀のマグナ・カルタは、現在でも現役バリバリ。このように、庶民の中で裕福になった者＝力をつけた者が自らの約束を要求するために、権力者に意見を言う場を求めたのが議会です。**国王側も自分が神から授かった王という権威を、裕福な力を持つ者たちに再度約束させるために、身分制議会を推進した**のでした。

議会の信任を得て力を得た王たちは、国王同士で、領土争い、跡継ぎ争いを開始します。それが、イギリスとフランスが争った百年戦争（1339〜1453年）や、イギリスのランカスター家とヨーク家がイギリス王室の跡継ぎを争ったバラ戦争（1455〜1485年）などです。

宗教改革が起きたのは
ローマ教皇庁のイカサマが原因

一方、**権威が失墜してきたローマ教皇庁は、資金調達のため新たな手口で神との約束を生み出します。贖宥状《しょくゆうじょう》（免罪符）の発行です。**「免罪符を買えば、神様が罪を許してくれますよ！」ということですね。でもすぐさま、そんな**イカサマな約束に反抗**した者たちが現れます。ドイツ人の神学教授ルター、スイス人のツヴィングリ、フランス人のカルヴァンなどです。

彼らが唱えた宗教改革のポイントは、次のようなものでした。

「今までのカトリックは、神との約束の間に聖職者が介在しすぎている嘘の（金儲けのための）約束だった。我々はダイレクトに神と約束したい。そのためには、本当の神との約束が書かれた聖書に従うべきなのだ」

まさに「反抗」を意味するプロテスタントという、新しい神との約束を生み出したのです。

その**約束（聖書）を一気に広めたのは、新しい技術革新＝グーテンベルグによる活版印刷術の発明**でした。今までは、少数の聖職者しか見られなかった神との約束（聖書）が、大量に印刷されることで普及したのです。神との約束が、普遍化したのでした。

このような、技術革新が弱い側に力を与え、約束の力関係を変化させるという現象は、世界史では度々起こります。

宗教戦争によって近代国家のシステムが作られた

16世紀半ばからは、防戦側のカトリック（旧教）と反抗側のプロテスタント（新教）の対立が激化し、ヨーロッパ各地で宗教戦争が始まります。

フランドル地方は当時スペイン領でしたが、そこでは国王・フェリペ2世（旧教）が弾圧した新教徒が、オランダ独立戦争を起こします（1568〜1609年）。

フランスの新教徒・ユグノーが起こした内乱・ユグノー戦争（1562〜1598年）

やイギリスのピューリタンがスチュアート朝（旧教）の国王の圧政に反旗を翻したピューリタン（清教徒）革命（1640～1660年）があります。

神聖ローマ帝国の新教と旧教の諸侯が入り混じって戦われた〝最後の宗教戦争〟となったのは、三十年戦争（1618～1648年）。この戦争は、周辺国家を交えて争った〝最初の国際戦争〟でもあります。

この**宗教戦争というヨーロッパ世界での長い過酷な内乱は、新たな近代社会システムの萌芽になりました。**

ユグノー戦争を終結させたフランス・ブルボン朝の祖アンリ4世は「ナントの勅令」を出し、新・旧教徒の両方に「信仰の自由」を約束します。

三十年戦争の終了時には、ウェストファリア条約が結ばれます。これは、ヨーロッパのほとんどの大国が参加して締結された条約で、国家間が約束した最初の国際法。その中で、スイスの独立も認められました。

現代社会の基本的思想はプロテスタントが生み出した

プロテスタントが信仰する「神との約束」は、勤労や貯蓄、倹約、節制《せっせい》といった真面目な生き方を約束したものでした。この生き方は、聖書に書かれた神様との約束事を、誠実に果たすというものです。

そしてこの**誠実さは、やがて生まれてくる資本主義、民主主義、個人主義の原動力となります**。これら三つの主義が、現代の世界の主流な考え方である所以《ゆえん》は、根本にはその約束が誠実さを持っているからです。この誠実な約束を最初に生み出したヨーロッパ社会は、近代化を最初に遂げたというプライドを持ちました。

逆に言えば、それを生み出せなかった他地域を自分たちの約束で従属させることを意味しました。誠実さという名のもとで、近代ヨーロッパが世界を一体化するわけです。

国家紛争は誠実さの押し売り合戦

近代ヨーロッパ社会の誠実……。我々が忘れてはいけない最大のポイントは、この誠実さは玉石混交であるということです。時に、名目だけの嘘の誠実さが混じっているということを忘れてはいけません。

侵略する側は誠実さという大義名分のもと、他世界を従属させていきます。自分たちの誠実さのもと、征服し略奪するのです。誠実さという旗印を掲げて、自分たちの富を得るため、他世界から富を略奪しまくります。自分たちの誠実な宗教や思想を布教するため、野蛮人たちを誠実に教化していくというのが、彼らの言い分です。

もちろん、誠実さを無理やり約束させられる側はたまったものではありません。そしてこの、**ヨーロッパ世界からの誠実な約束の押し売りが、今後の世界史の軋轢《あつれき》の根本原因になっていくのです。**

人と人との争い、国と国との争いとは、ストレートに言えば「自分の誠実さの押し

売り合戦」でしかありません。自分たちが考える誠実さ＝正義を、他者や他国に、約束させたり押し付けたりすることは、本来の意味で誠実ではないのです。この悲しい現実を知ることも、世界史では重要です。

第15講

17世紀、18世紀／イギリス、アメリカ

理想の話

ある人にとっての「理想」は、
別の人にとっては「脅威」となる。

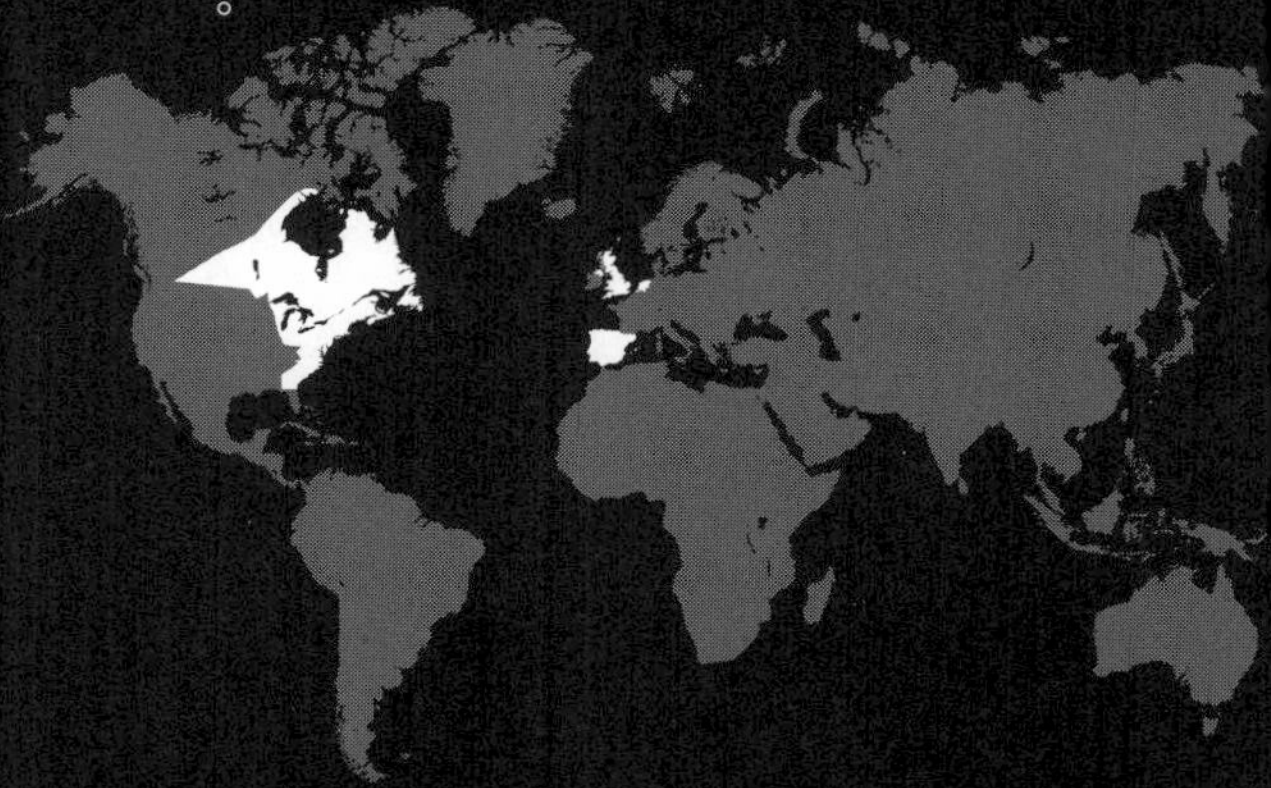

神の下の平等、それが民主主義

宗教改革によって、聖書に書いてある神との約束を誠実に実行するプロテスタントの中で、ある「理想」が育まれました。**「神の下《もと》の平等」。これが後にデモクラシー、すなわち民主主義を生み出す原動力になります。**

まずは、そんな理想が生まれた、当時のヨーロッパ情勢から見ていきましょう。

宗教改革が進む一方で、16世紀から17世紀のヨーロッパ諸国では王はますます権力を強めていきました。「王権は神から与えられたもので、王は神だけに責任を負うが、国民は王に反抗できない」とする王権神授説を主張する国王が、常備軍と官僚制を整備して、絶対王政と呼ばれる集権的国家体制を作り上げました。権力を握った者たちが次に求めるものは富。好き勝手に振る舞う絶対君主たちは、世界各地に領土を広げ、新大陸やインド航路を使った貿易を盛んにする重商主義を標榜します。

植民地の後の国名が王様の名前になるほど、他地域を占有していたスペイン

スペイン国王カルロス1世は、神聖ローマ帝国内のオーストリア大公・ハプスブルク家の出身でした。ネーデルラント（オランダ）を領有しつつ、やがて神聖ローマ皇帝カール5世となります。

カルロス1世の息子・フェリペ2世は、スペイン帝国最盛期に君臨した王でした。彼の時代にスペインは、ラテンアメリカやアジアに植民地を建設していきます。ちなみにフィリピンとは「フェリペの領土」という意味です。**フェリペ2世は、1580年にポルトガルを併合して、その広大な領土から「太陽の沈まぬ帝国」と呼ばれました。**

絶対王政のフランスはアメリカに名前を残した

ハプスブルク家と対抗したブルボン朝の**フランスは、アメリカ中央部メキシコ湾のミシシッピ川流域から五大湖・カナダまでを獲得して植民地にします。**

その地は「ルイジアナ」と呼ばれましたが、「国王ルイの領土」という意味なのです。ちなみにその地の特産ウイスキーをバーボン（bourbon）というのは、ブルボン朝のブルボンからきています。

現在世界遺産である、豪華なヴェルサイユ宮殿を造ったルイ14世は「朕《ちん》（我）は国家なり」という言葉を残しています。

イギリスはスペインを撃退し、世界を牽引する国家へと躍進

イギリスでは、テューダー朝のヘンリ8世が、王妃との離婚を望んでいました。しかし、カトリックは離婚が禁止です。そこでヘンリ8世は、「ならば、自分で教会を作っちゃえ！」と、**部分的にプロテスタントの考え方を組み込んだイギリス国教会を設立し、教会を王権の支配下に置きました。**

その後、海外貿易を重視する女王エリザベス1世は、1588年にスペインの無敵艦隊＝アルマダを破り、スペインの権威を失墜《しっつい》させます。

1600年にはアジア貿易と植民地経営を目的に東インド会社を設立して、東南アジアのジャワ島やマレー半島に拠点を設けます。

1607年には、アメリカ東部を植民地にしました。エリザベス1世は生涯未婚でした。そのため処女王と呼ばれた彼女にちなみ、ヴァージニアと命名されます。

こうして**絶対王政の最盛期を迎えたイギリスは、海洋国家として世界史の旗振り役に躍り出る**のです。

革命とは揺り戻しの連続だが、以前の状態には戻らない

エリザベス1世没後、スチュアート朝が始まると、神との誠実な約束を守るピューリタン（清教徒）が、王権の専制政治に対する不満を爆発させます。王党派と、清教徒主導の議会派の内乱状態になり、ピューリタン革命が起こります。1649年、議会軍を指揮するクロムウェルが、国王チャールズ1世を処刑して共和政が成立します。

このような流れの中、クロムウェルは最高統治権を持つ官職・護国卿《ごこくきょう》を名乗り、イギリスは一時的に共和政（コモンウェルス）になります。しかしその厳格さから長続きせず、チャールズ1世の子・チャールズ2世がイギリスに戻り、王政復古します。

しかしその専制政治への揺り戻しに再び、議会派は反発。1688年、新たな王家をオランダから迎え、オランダ独立運動の指導者でもあった総督・オレンジ公ウィリアムは、議会側が要求する権利を承認して、ウィリアム3世として王位につきました。

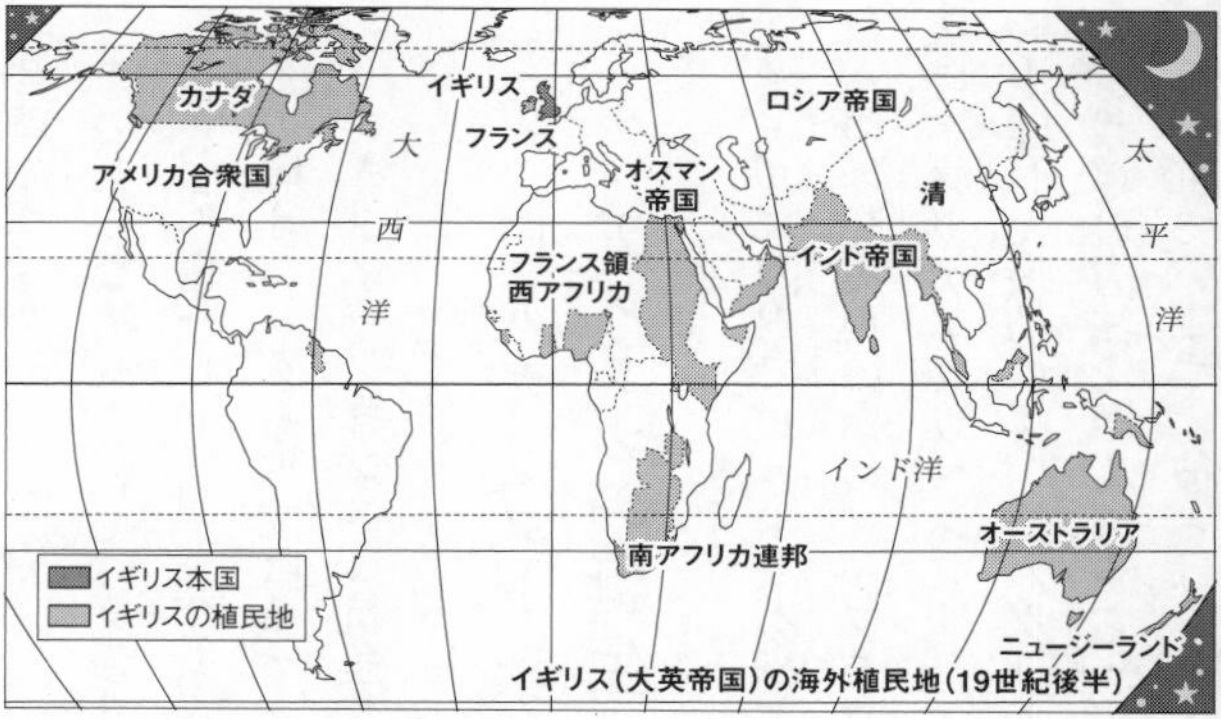

イギリス（大英帝国）の海外植民地（19世紀後半）

この一連の動きは、流血なくして王が交代したことから名誉革命と呼ばれています。

このように革命は、「揺り戻し現象」を繰り返すのです。

まず、民衆が不満をぶちまける運動を起こします。次第に過激化し、独裁者が生まれます。そして独裁が強くなりすぎると、反動から独裁者が倒され、元に戻るのです。しかし**その繰り返しの中で、歴史は次の段階に発展**します。なぜならば、守旧派は元に戻そうとしますが、国が一度新たな概念を知ってしまったからには、同じような世界には二度と戻れないからです。

ピューリタン革命→共和政→王政復古→

名誉革命。

このような流れを経て、イギリスは絶対王政から現代に続く立憲君主政（王様が主権を持つが、憲法などの規則がその権限を制限する仕組み）への基礎を築きました。

その頃オランダも独立戦争でスペインに勝利し、商業・海運を成長させます。やがて、イギリスやフランスと抗争しながら、植民地経営・資本主義経済を発展させます。

白人キリスト教徒だけの理想の国アメリカの誕生

イギリス国内でピューリタン革命が起こる以前、弾圧された清教徒たち102人は自らの理想実現のためメイフラワー号に乗り、大西洋を渡りました。1620年に新大陸アメリカのプリマスに上陸し、ピルグリム・ファーザーズと呼ばれています。

上陸した最初の年、ピルグリム・ファーザーズたちは、原地の先住民からトウモロコシ栽培の方法を教えてもらって生き延びます。それを感謝して始まったのが感謝祭と言われています。彼らはこのアメリカの地に、キリスト教徒にとって理想的な社会

＝神の下で平等なデモクラシー（民主的な）社会を建設することを誠実に目指しました。

その理想のもと、移民は徐々に増え、プリマスのあるマサチューセッツ植民地（州）から徐々に拡大し、それらニューイングランドと、オランダの植民地から奪ったニューヨーク州や南部のヴァージニア州など13州のイギリス植民地が誕生します。

最初は友好的だった先住民との関係も変わります。**先住民は異教徒である＝自分たちの理想にそぐわないとして、排斥の対象になった**のです。そして理想の地を求め、西へ西へと開拓を開始します。彼らはプロテスタントとしてまさに理想に駆られて、誠実に正義を実行したのです。しかし彼らの正義は、**あくまでキリスト教徒にとっての正義**でした。南部のヴァージニア州やサウスカロライナ州などの南部植民地では、プランテーションと呼ばれる大規模農業経営が広まり、労働力不足から次第にアフリカ大陸から黒人を奴隷として大量に（商品として）輸入するようになったのです。

のちにWASP（ワスプ）と呼ばれる白人（White）でアングロ＝サクソン（Anglo-Saxons）でプロテスタント（Protestant）のための、理想の国を誠実に作ろうとしたのでした。

アメリカはかなり特殊な人工国家

この理想が、やがてアメリカの建国につながります。1775年に、本国イギリスの植民地経営による度重なる従属的政策に嫌気が差し、13州はイギリスからの独立をすべく独立戦争を起こすのです。翌1776年には独立宣言を発して、やがて勝利を勝ちとって誕生したアメリカ合衆国とは、今までにない全く新しいタイプの国家でした。

今までの世界史で見てきたように、**四大文明からこのかた、国家の成り立ちはほぼ決まった形で行われました。**その地に住んだ人々が集団を作り、大規模事業を行うために王などの統率者が現れ、一つの民族となって国家を形成するのが通常です。時には違う民族を従えたり、あるいは逆に支配されながらも、その同族意識（＝アイデンティティ）で成立しているのが今までの国家でした。そこには、民族固有の共通な歴史物語があります。

その国家を建国した先祖はその国の英雄であり、その国の歴史はその国のしきたり・文化・伝統です。しきたりや文化はその集団のアイデンティティとなり、アイデンティティを共有する者がその国の構成員なのです。

でも、アメリカは違います。**アメリカ建国の基盤は、英雄でも伝統でもなく「理想」**なのです。神の下の平等という考え方に賛同した人たちが造った「人工国家」なのです。

理想で国を成立させるために必要な物は、新しいルール＝憲法でした。あらゆる民族のあらゆる文化の、それぞれ違うアイデンティティを持つ人たちが一つの国家を形成するためには、その拠り所となる理想を実現するための憲法が必要です。

こうして1787年にアメリカ合衆国憲法は発効しました。そしてこの憲法を拠り所に、アメリカは、アメリカが理想とする自由と民主主義実現のため、そしてそれらを獲得するためにフロンティアを求めていくのです。

アメリカはユートピアか？

第13講で述べたように、「United States」は本来ならば「合州国」という意味です。しかし、それが「合衆国」と翻訳されています。なぜそうなったのかは諸説あり、誤訳や誤植という説もあるほどです。しかしこの「同じ理想を持つ民衆が合わさった国」という点で言えば、「アメリカ合衆国」は本質をズバリついた訳語です。なぜならアメリカは、本来の意味の国が集まった国ではないからです。

日本人にとってアメリカは身近な外国です。そのせいか、アメリカという国がスタンダードだと思いがちです。しかしアメリカは極めて特殊な国なのです。逆に言えば、そんな特殊な国なのに、**特殊性を感じないくらい、アメリカという概念＝アメリカニズムが人類にとって普遍的である**とも言えます。

世界中でよく誤解されますが、アメリカとは、民族の歴史や物語とは関係なく一から理想を実現するために作ったユートピアなのです。なので、アメリカニズムというのは、ある国民、民族に固有の概念ではありません。普遍性がある概念のため、アメリカの外にも浸透し、全世界に拡大するほどの魅力を持った理念なのです。

でも実際は、ユートピアではありません。アメリカ自身も国の内外で数々の問題を抱えています。物欲に走り、強者の論理で動き、世界の貧富の差を起こしているのはそんなアメリカのユートピア幻想かもしれません。

アメリカの理念は押し付けられる側からすると、覇権主義になり大国主義にもなります。またその理念は、富の獲得のために拡大解釈されるのです。アメリカ拡大の途上で**侵略された民族にとってはむしろ、アメリカはディストピア（暗黒世界）と言ってもいいかもしれません。**アメリカが世界の盟主を目指すのは、それが彼らの「理想」だからなのです。その理想を他者が必要としているか必要としていないかは関係なく、アメリカニズムは否が応にも世界に拡大していったのでした。

このように世界史を、プラス・マイナス両面を併せ持った事象の集積と捉えること。それが、世界史を深く知ることの意義です。

第16講

18世紀、19世紀／ヨーロッパ、日本

革命の話

ダイエットとリバウンドを繰り返す「革命」によって人類は進化する。

「革命」と「レボリューション」は本来は違う意味

「革命（レボリューション）」とは一体何でしょうか？　市民革命、ブルジョワ革命、社会主義革命、農業革命、産業革命、ＩＴ革命……、限りなく様々な分野で使われている言葉です。最近では特に、ポップミュージックの歌詞でも頻繁に使われるくらいポピュラーな単語ですよね。

レボリューション。それは、現状から変わりたいという私たち日本人の今の心性を表しているのかもしれません。

「革命」は英語でもフランス語でも「Revolution」です。もともとラテン語系の「volute」という渦《うず》を意味する言葉に、繰り返しを意味する接頭語の「re」を付けた言葉で、本来は「回転する」という意味でした。回転式拳銃を「リボルバー(revolver)」と言うのと同系統の単語です。

最初に使われたのは、コペルニクスが地動説について書いた「天球の回転について

(De revolutionibus orbium coelestium)」のタイトルだったといわれています。**もともとは天文学用語で、「回転」という意味**でした。

しかし、**地動説のインパクトから、「科学革命」を象徴する言葉になり、1688〜9年のイギリスの名誉革命の時に初めて、政治体制変革の名称として使われた**のです。

この政治的な意味の「Revolution」という語は、明治初期の日本で「革命」と訳されました。もともとは古代中国にあった「天が見切りをつけて新たな天子に替わる」という意味の言葉です。

つまり革命とレボリューションは、本来は違う意味だったのです。

しかし政治的意味のレボリューションには、まさに革命の意味が内包されています。「民衆の不満が現体制に向けてたまり、体制を一気にひっくり返すこと」＝それがまさに「回転する」ということだからです。

今、期せずして明治時代が出てきましたが、日本の明治維新は革命なのでしょうか？　それは最後に考えるとして、まずは市民革命（ブルジョワ革命）であるフランス革命を見ていきましょう。

フランス革命が起こったのは名誉革命のちょうど100年後

新大陸に理想の国家・アメリカ合衆国が独立した衝撃は、すぐさま旧大陸に広がりました。その理念は、ライバル・イギリスの邪魔をするために独立戦争に参加したフランスの義勇兵により、フランスに持ち帰られたのです。

ブルボン朝・ルイ16世の絶対王政のもと、圧政や重税に苦しんでいたフランスの市民たち。その中でも裕福な商工業ブルジョワ階級が特に感化されました。

1789年、財政難に苦しんでいたブルボン朝はさらなる税を課すため、三つの身分が集う議会である三部会を開催します。実に175年ぶりの開催でした。

しかし人口の約98％を占めていた第三身分の平民・ブルジョワ市民たちには、議決方法が不満でした。何を決めても、第一身分と第二身分の特権階級の意見が通ってしまうからです。三部会に嫌気が差した彼らは、自分たちが主体の国民議会を結成して憲法の制定を求めたのです。

これより2年前にできあがっていた**アメリカ合衆国憲法の影響を受けて、自分たちも憲法を制定しようと誓いあった**のです。これが有名な「テニスコートの誓い」です。

革命とはこのように外部の出来事が非常に影響します。世界各国で起こる革命でも、この現象は顕著です。

そしてこの**1789年は、ちょうど名誉革命の100年後というのも象徴的**です。

理念や象徴が人を動かす起爆剤になるのです。

革命を推進する力とは、民衆のエネルギーです。そのエネルギーとは、長年溜まった不満や鬱憤《うっぷん》などの「気持ち」です。この気持ちに、外から「理念」が注ぎ込まれると、途端に発火して燃え上がり、やがて連鎖します。それが革命です。

反対派は押さえ込まれるほどむしろ過激になっていく

このような市民の動きに対して、国王・ルイ16世はどうしたのでしょうか？　まずは武力弾圧の姿勢を見せました。しかしその姿勢が、民衆の気持ちをさらに暴発させ、1789年7月14日のバスティーユ牢獄の襲撃を招くのです。**押さえ込まれた不満は押さえ込めば押さえ込むほど、暴発するのが世界史の常**です。

この事件を契機に、フランス全土で騒乱が起こりました。フランス革命の始まりです。同年の8月に国民議会は「フランス人権宣言」を採択します。アメリカの独立宣言、合衆国憲法、そしてルソーの『社会契約論』に基づいた国民主権を打ち立てたのです。

やがて、そこから革命の理念「自由・平等・博愛」が叫ばれました。

1791年にはフランス初の憲法が作成され、当初は立憲君主政を目指しますが、革命側の派閥争いが起こり、やがてどんどん過激になります。様々な旧体制を改める法律が矢継ぎ早に施行され、1792年には王政を廃止して共和政（第一共和政）に移行します。理念で動く革命は、その理念を突き詰めるほど純化するのです。

革命とは過去との突然の断絶

革命政府により軟禁状態だったルイ16世は、1791年に王妃のマリー・アントワネットの実家・オーストリアのハプスブルク家に救いを求めて、国外脱出を画策します。しかし失敗して逮捕され（ヴァレンヌ逃亡事件）、ルイ16世と王妃マリーは1793年についに処刑されます。「自分たちの国を捨てて他国に逃げるとは何事か？ そんな奴は我々の王ではない！ 処刑だ!!」という流れです。

王の処刑とは、旧体制との完全断絶を意味します。それが革命です。**「革命とは何か」を端的に言うならば、「過去との突然の断絶」**となります。

なお、フランスでの王の処刑は、当時のヨーロッパ諸国を震撼させました。やがて、自分の国に革命が波及するのを恐れた諸王国が、革命を阻止すべく対仏大同盟の成立を促します。中心となった王国は、イギリスとオーストリアでした。

革命がエスカレートすると初心をも否定してしまう

もしも、旧体制が段階的に民衆の意見を聞いて穏健な改革を実行していたら、反対派による過激な革命は起こらなかったかもしれないのです。

後に革命政府は、ロベスピエールが指揮する急進派のジャコバン派の独裁体制になり、穏健派・反対派は次々にギロチンにかけられ処刑されます。反対派の処刑はまだしも、穏健派など自分たちの政策に比較的協力的だった同志でも、意見が分かれると途端に排除してしまうのが革命なのです。

外部の敵を打ちのめすと、さらに革命の理念を遂行するために内部の敵を倒し、独裁体制や恐怖政治が起こる……。それが革命の本質でもあります。

純化した革命の理念は、旧体制の打破だけでなく、今までのフランスの伝統や慣習やキリスト教までをも否定し、新たな理性に打ち立てられた数々の施策が行われました。メートル法の採用、革命暦の採用、世界初の奴隷制の廃止、キリスト教に代わる理性の崇拝＝革命祭典などです。

皆さん、思い出してください。近代の理念は、もともとはプロテスタントの神との誠実な約束から始まったのに、革命がここまで進んで、ついには神の否定にまで行き着くのです。**進みすぎると、当初の理念を超えるところまで行ってしまう、それが革命**です。

しかし、どんどん**急進派が先鋭化して、周りを排除すると、いつしか革命の先端はものすごく尖って細くなり、やがて味方がいなくなりポキッと折れます。**案の定、ジャコバン独裁を指揮した急進派のロベスピエールは、1794年に処刑されました（テルミドールの反動）。こうして革命は急に逆方向に揺り戻されるのです。革命は行き着くところまで行くと必ず〝反動〟が起こります。

ナポレオンがヨーロッパ中に「自由・平等・博愛」を広めた

一方で、フランスの周りの王政国家は、外から革命を潰そうと干渉します。そのフランスの危機に立ち上がったのが、フランス市民自身で編成されたフランス国民軍です。

こうして民衆は、王を殺す革命と対外的国家の危機で、フランス人としてのアイデンティティを自覚し、フランスは国民国家（ネーション・ステート）になりました。マルセイユの義勇兵が歌っていた「ラ・マルセイエーズ」は国歌になり、赤・青・白の三色旗（トリコロール）は国旗になりました。

この軍隊から一躍英雄になったのは、コルシカ島出身のナポレオン・ボナパルトです。イタリアを始め各地に転戦して勝ち続けた彼は、オーストリア軍に大勝して対仏大同盟を崩壊させます。英雄になったナポレオンは、テルミドールの反動の後に不安定だった革命政府を、1799年にクーデタを起こして倒し、独裁政治を始めます。そして1804年には皇帝・ナポレオン1世になるのです。ついにカリスマの登場です。

ナポレオンは、現代の民法の基礎となるナポレオン法典を制定します。革命の理念を、人権と私有権の保護という具体的な革命の成果にまとめ上げたのです。

ナポレオンはその圧倒的な軍事的才能と徴兵制のフランス国民軍で、全ヨーロッパを敵にしながらも、イベリア半島、イタリア、オーストリア、プロイセンの常備軍を圧倒し、1806年にはついに神聖ローマ帝国を解体します。そして、各地で自分の親族を王にして次々とヨーロッパ中を支配しました。

それはフランス軍による「ヨーロッパの解放」を意味しました。そしてその**ナポレオンの進撃が、同時に革命の理念「自由・平等・博愛」を各国に広めることになった**

のです。

革命とは、言うなればその理念を持ったウイルス＝病原菌です。そのウイルスが感染すると、どんどん拡散します。一度感染してしまうと、感染した人もその地域も二度と元には戻れません。

フランス占領下のベルリンでは哲学者・フィヒテが「ドイツ国民に告ぐ」という講演をし、ドイツ人のアイデンティティを啓発しました。今まで一地方の諸侯に帰属する人間だと思っていた人々が、ドイツ人であることを自覚したのです。

こうして**各国の国民にナショナリズムが生まれました。ナショナリズムとは「自分たちを○○人と意識すること」**です。

ナポレオン最大の功績は「革命の輸出」

ナポレオンはその後、ロシア遠征に失敗し退位します。1815年には幽閉先のエルバ島を脱出し復位を宣言しますが、ワーテルローの戦いに敗れ、再びセントヘレナ島へ流されました。その間にフランスは王政に戻り、各国代表が集まってウィーン会議が開かれました。ヨーロッパを旧体制に戻そうとしたのです。

革命とは「民衆の不満がたまって、勃発して、過激になり、独裁者が生まれ、さらに過激になって、反動で独裁者が倒され、元に戻る」という揺り戻しの繰り返し現象なのです。

でもその揺り戻しの中で、体制を革命前に戻そうとしても、一度革命のウイルスが蔓延した人々の心は決して元には戻りません。その揺り戻しの中で、革命の理念は次第に具現化されるのです。

フランスは1830年の七月革命、1848年の二月革命で、再び共和政になります。同じ1848年の3月には、ドイツとオーストリアで三月革命が起きます。

この革命の理念は新大陸に、そしてアジアにも波及します。

ラテンアメリカでは、アルゼンチン・チリ・メキシコなどが次々と独立します。日本の明治維新は、国民国家に変貌すべきという考えがアジアで実現した事件でした。

日本の明治維新は革命だったのか？

では最後に、日本の明治維新とは革命なのでしょうか？

今まで見てきたように、革命には、

①外部から理念が注入され、民衆の不満が発火して爆発する。

②旧体制が押さえ込もうとすると逆に過激になる。

③革命の理念が進めば進むほど純化する。

④旧体制のボスを処刑する。

⑤進みすぎて当初の理念を超えてしまう。

⑥揺り戻しの反動が起こる。

⑦独裁者が登場する。

⑧革命の成果が生まれる。

というプロセスがありました。

日本の明治維新にも当てはまるところがあります。ただし、**明治維新では「④旧体制のボスを処刑する」という最も革命的な断絶的な行為がなかったのが決定的に違います。**

将軍が政治権力を天皇に返還する形で江戸幕府は終了し、過去の天皇制を改変して、国民国家に変貌したのが明治維新でした。過去との断絶が革命だとすれば、過去との継承が行われた日本の明治維新は「革命＝Revolution」ではなくて「改革＝Reformation」なのです。

そういう意味では、日本では革命が起こったことがありません。**過去を継承することを第一義と考える国民性が日本人のアイデンティティ**だからです。あるいは、革命のReをEに変えて進化、つまり「Evolution」と言っていいかもしれません。

急激な変革と断絶を好まず、むしろゆっくりと順を追って変わり続け進化することを好む。これが、日本という国民国家の特質なのです。

第17講

16世紀〜19世紀／ヨーロッパ

産業の話

技術革新や発明が、
生活時間、行動範囲、
芸術までも変化させた。

人はお腹が空くと革命を起こす

市民革命が起こった18世紀には、もう一つの革命が進行していました。産業革命(Industrial Revolution)です。様々な技術革新が起こり、発明された機械が人力に代わって生産を行う「機械制工業生産」のことです。

ところで、この本では今まで、施政者が民衆を苦しめた状況を「圧政に苦しみ、反乱が起こった」というように、曖昧な記述の仕方をしてきました。ではその「圧政」とは具体的には何なのでしょうか?

よく考えてみてください。近代の革命前の時代は、人権の概念が希薄でした。現在の我々が普通に持っている言論の自由、移動の自由、信仰の自由、労働の自由、これらはみな市民革命を経る中で先人が闘って獲得した権利です。逆に言えば、**革命前の状態では、言論の不自由、移動の不自由、信仰の不自由、労働の不自由が普通だった**ということですね。

そんな不自由が多い社会で、民衆にとっての一番の圧政は重税です。税として徴収されるものには、お金や食料があります。税を過剰に搾取されるということは、「食べる物が足りなくなる」ということ。**人は何にも増して食べる物が不足した時、不満が爆発する**のです。

農民は自分が作った農作物から何割かを取られる、商人も何割か取られる。一方で国王や貴族や聖職者は税を免れ、裕福な暮らしをしている。日々の生活に窮するほどの税を課せられ、特権階級との差を感じた時に人々は圧政を実感し、反乱や革命につながるのです。

産業革命が市民革命までも後押しした

アメリカ独立戦争の発端は、イギリス本国のアメリカ植民地への課税でした。当時、イギリス議会に代表を送っていなかったアメリカの植民地は「代表なくして課税なし」をスローガンにしてイギリスとの独立戦争を始めました。

フランス革命の場合は、免税特権のある貴族への課税を行うため、三部会を開催したことが発端でした。やがてフランス各都市の民衆は、パンを求めて反乱を起こしていきます。逆に言えば、18世紀に市民革命が起こり、民衆が様々な権利を主張するように（できるように）なったのは、その生きるための最低限の飢えからの解放を得た上で、理想の実現に向かったとも言えます。そしてこの**飢えからの解放は、ほぼ同時期に起こった産業革命によって加速します。そういう意味でも産業革命は、技術的な意味だけでなく、人類における歴史の転換点＝革命と言える**のです。

産業革命はイギリスで起こり、瞬く間に他の欧米諸国、やがては世界中に広まりました。なぜイギリスが発端だったのでしょうか？　天才的な発明家がたまたまイギリスに現れたから……かもしれません。

しかし17世紀のイギリスには、産業革命発生の要因が整っていたことも事実です。その要因とは、大西洋と資本主義と労働力です。

大規模農園を経営したくて株式会社が発明された

16世紀、新大陸アメリカで銀山が次々と発見され、大量の銀が産出されます。ヨーロッパに、それまで流通していた6倍以上の銀が持ち込まれたのです。するとと各国の商業圏が結びつき、流通が増大して商業が活発化しました。これが商業革命です。一方で銀の価値が暴落し、物価が何倍にも跳ね上がるインフレーション、すなわち価格革命が起こります。

ヨーロッパで最初に商業で繁栄した海運国家は、1648年にスペインから独立する以前のオランダでした。農地に恵まれなかったオランダではもともと、漁業や毛織物業が盛んでした。

オランダは自国で生産した産物を輸出することで、大西洋とインド洋とを海運で結びつけます。そして植民地に資本を投資し、大規模農園の経営を始めます。先住民や黒人奴隷の労働力を有効活用して、単一作物を大量に栽培するプランテーションを開始したのです。

プランテーションは、より規模を拡大していきました。そのためには資本が要ります。こういった事情から、**資本を集めるために株券が発行され、株主に購入してもらうことによって資本を集める、現在の株式会社の原型ができあがる**のです。**1602年に作られたオランダ東インド会社は、世界初の株式会社**と言われています。株式会社は大成功し、次々と各国で作られ、資本家を生み出します。こうして資本主義経済が誕生しました。

イギリスの強みは島国だったこと！

やがて海洋路や植民地の勢力争いから、イギリスと3次にわたる英蘭《えいらん》戦争が起こり、オランダは敗れ衰退していきます。オランダに代わって台頭したイギリスでは、ランカシャー地方で毛織物業が発達します。さらにイギリスは、アメリカ、東南アジアを植民地化し、やがて18世紀半ばにはインドとの貿易をし、植民地化を本格化させるのです。

イギリスは、オランダが生み出したシステムをそっくり模倣することで、成長しました。**イギリスは、オランダにはないアドバンテージを持っていました。それは島国だったこと。**大陸の国々のように近隣国から直接侵略される恐れが少なく、富の全てを海軍につぎ込むことができたのです。

逆に言えば、常に陸地を接した大国からの侵略に怯えなければならなかった内陸国家の発展が遅れたのは、陸上からの侵略に備える必要があったからとも言えます。この島国であるがゆえの優位性は、日本についても同様のことが言えます。なにせ日本の本土を侵略できたのは、鎌倉時代の元寇と太平洋戦争時のアメリカ軍など、非常に限られますから。

資本主義経済により自給自足だけで満足できなくなった

ヨーロッパ諸国にとって、**大西洋を挟んだ新大陸との資本主義経済は、それまでの**

地域内の自給自足経済と異なっていました。利潤を追い求め続ける膨張経済が始まったのです。それまでは自分たちが食べるためにだけ行っていた自給行動が、拡大すればするほど富が獲得できる欲望行動へと変化したのです。

富を持った裕福な市民＝ブルジョワジーが新大陸に求めたものはサトウ、タバコ、コーヒー、カカオなどでした。また、アジアに求めたものは、中国産の紅茶とインドの綿布などの嗜好品でした。こうして、新しい生活スタイルを求める生活革命が起こったのです。

さらにカリブ海のサトウを輸入するため、サトウキビのプランテーションで労働する黒人奴隷をアフリカから輸入し、そのアフリカにはヨーロッパから銃や酒、日用品を輸出するという三角貿易が誕生します。黒人奴隷はヒトではなく商品だったのです。

こうして商業は発達し、**この頃に市場経済や保険など、現在に続く経済の仕組みが誕生**しました。

やがて原産地だけで生産されていた農産物は、植民地で栽培されるようになりました。

エチオピア原産のコーヒーはブラジルやジャワ島で栽培されるようになり、中国のお茶はインドで作られるようになります。

また、インドからの綿布の輸入を減らし、カリブ海の周辺地域で綿花を栽培します。こうしてイギリスでは、衰退した毛織物生産に代わって、綿織物生産が台頭するのです。

産業革命により人は、働くために生きることになってしまった

イギリスでは綿織物の大量生産を試行錯誤する過程で、数々の技術革新がありました。ジョン・ケイの飛杼《とびひ》、ハーグリーヴズのジェニー紡績機《ぼうせきき》、アークライトの水力紡績機、クロンプトンのミュール紡績機、カートライトの力織機《りきしょっき》などです。

ちなみに飛杼とは、経糸《たていと》の間を緯糸《よこいと》が行ったり来たりする動きをさせるもの。杼は形状が先がとんがった細長で、英語で「シャトル（shuttle）」と呼ばれます。シャトルってどこかで聞いたことがありませんか？　そうです、スペースシャトルで

す！　宇宙空間（スペース）を行ったり来たりし、先がとんがった細長の形状を持つのが、スペースシャトルですよね。

シャトルという些細な発明が、産業革命の端緒になって、やがて宇宙空間まで人類を飛び立たせるシャトルに発展するわけですから、技術の進化には驚くばかりです。

そして動力源として場所が固定される水力に代わって、石炭を燃料にした蒸気の作用で動くピストン運動を円運動に変換する蒸気機関が、１７８１年にワットにより発明されます。織物機はもとより、やがて製鉄業、機械工業、炭鉱業など、様々な産業に使用されるようになります。

当時のイギリス国内では、農業革命が起こって農業の生産力が高まっており、人口が増加していました。さらに、資本家による農地の囲い込みで、農民は土地を失います。こうして農民は農地を離れ、労働者として都市に流入します。彼らは発明されたばかりの機械を使った工場で働くようになり、機械制工業生産が行われるようになるのです。

それまで、富を生んでいたのは農地でした。しかし、機械制工業生産の拡大により、都市が富を生むようになります。**都市の工場労働者という、現代に続く新たな階**

層の出現です。

そして、この工場労働者の出現は新たな社会現象を生みました。それは**「子どもの誕生」**です。

意味がよくわからないかもしれませんね……。それまでは〝子ども〟は存在していなかったのです。〝小さい大人〟がいるだけでした。

しかし、工場で労働するために、知識と技術と経験を学ぶ必要性が生じます。大人になるための年少期に教育をする期間＝すなわち、子どもが誕生したのです。こうして**学校制度が発展**していきます。

しかし同時に、公害や労働条件の悪化など様々な社会問題を生み出しました。**人の生活が「食べるために働く」から「働くために食べる」へ変化**したのです。この劇的な変化の中で、人類は人権を意識するようになりました。

後述するように、やがてそこから共産主義の考え方が生まれます。

距離と時間の制限から解放された

産業革命は、動力革命でした。蒸気機関が移動手段に応用されたのです。1807年にフルトンによって蒸気船が実用化され、1814年にはスティーヴンソンによって蒸気機関車が製作され、1825年に実用化されました。

今まで風力か人力かウマを使うしかなかった移動手段が、**動力機関を使うことで速度、一度に運搬できる物量、ともに圧倒的なパワーを獲得**したのです。遠隔地との時間的距離が大幅に短縮され、「鉄道狂時代」と呼ばれる鉄道建設ラッシュが起こりました。

また18世紀末には電気を使う発明が起こり、1830年代に入ると電信として実用化されます。

電信が発明される以前、人類は直接会えない遠隔地との交信には狼煙《のろし》を使うなどするしかありませんでした。それが**ほぼ時間差なく、情報の受け渡しをできるように**

なったのです。そして1870年代には電話が発明されます。

動力機関は石炭を使う蒸気機関から、燃料効率のすぐれたガス、石油が主燃料になり、やがて電気が動力に使われるようになります。

また、ガス灯とそれに続く電灯の発明によって、**人類は夜も活動できるようになり、生活時間が伸長**しました。

蒸気機関によって「世界は縮小に向かい」、照明器具の革新によって「世界は拡大に向かった」とも言えるかもしれません。「動力革命」とはいわば「無限革命」であり、人類は理念として〝無限〟を手に入れたのです。

カメラの発明も忘れてはなりません。19世紀中頃には実用化されます。これまでは物事の造形を記録する方法は絵画しかありませんでした。なので絵画には、どれだけ正確に再現描写できるかという技術が一番問われていましたが、**写真の発明で絵画に正確さを求める必要性が薄れました。**それが19世紀後半の印象派などの芸術の多様化に結びついていきます。

記録といえば、蓄音機の発明も大きいですね。

……と、発明された数々の技術を挙げ続けたら、きりがありません。そもそも技術革新というものは、現代でも、日々起きています。産業革命の時期だけの話ではないのです。

とはいえ、この18世紀半ばから19世紀にかけての技術革新ほど、インパクトのある技術が次々と発明された時代はなかったでしょう。技術革新のたびに人々の歴史は影響を受けてきました。**「産業革命」という言葉は、その衝撃から名付けられた**と言っていいかもしれません。

逆に言えば、**産業革命とは、この時代に始まり、これからも未来に向けてずっと続く歴史の転換点の連続**なんだと考えた方が、これから迎える現代史を把握しやすくなるかもしれません。

第18講

14世紀～19世紀／
ヨーロッパ列強、
西アジア、インド、明・清

統合の話

民族の「統合」と、
帝国による「分割」が
同時進行するという矛盾。

不自然な統合が今も、戦争や紛争の原因となっている

フランス革命の理念「自由・平等・博愛」はヨーロッパ中に感染し、やがて各地域に広がりました。各国の人々は国民国家（ネーション・ステート）という「統合」を目指すようになったのです。**「一つの地域は、一つの国家として統合させよう！」という考え方**です。一つの国民国家に住む人々が、その国の国民ということです。

人々は革命を通じて、国民というアイデンティティに気付きました。そのアイデンティティをナショナリズムと言います。日本語訳だと「国民主義」ですね。ある地域に住む人たちが、「共通の文化・伝統を持つ自分たちは、共通の政府を持つべきだ」と考えるようになったのです。

しかしそれならば「一民族＝一国家」という体制に統合されるのが自然のはずです。でも一国の中で、各民族が争っている国が現在でも数多くあります。それはなぜなのでしょうか？　それはこの19世紀という時代に、ある違う力学が働くことで不自

然に統合されてしまったからなのです。その力学とは「民族主義」です。不自然に統合された国家の中で人々が感じるアイデンティティは、国民としてではなく民族にあることが非常に多いのです。その場合、ナショナリズムとは「民族主義」という意味になります。イラク・シリア・トルコという国家に、不幸にも分断されてしまったクルド人が典型です。

また、多種多様な民族がそれぞれのアイデンティティを抱えているにもかかわらず、国家として無理やり一つに統合されているケースがあります。中国内部のチベット問題など、各地での分離独立問題はその一例です。このようなケースでは、ある民族が他民族を従えてその国を国家として一つに統合すべきだという「べき論」で主導しようとします。その場合ナショナリズムとは「国家主義」となり、極端に走ると、「我が国家は他国家よりもすぐれている」という「国粋《こくすい》主義」になるのです。

つまり、**ナショナリズムは国民主義、民族主義、国家主義、国粋主義という混同しやすい概念を内包した言葉なのです。**19世紀に進んだ各地域での不自然な統合が、現代世界で頻発する国家間の紛争や各国内での民族対立など、ナショナリズムという名の混乱を現在まで引き延ばしているのです。

自分の国の王様が、自分の国の国民ではない

まずは、ヨーロッパの統合から整理してみましょう。皆さんも薄々感づいていると思いますが、イギリスでもフランスでも神聖ローマ帝国でもイタリア諸国でもイベリア半島でも、そもそも「その国を代表する王様はその国の国民ではない」場合がほとんどです。

現在のイギリスの王室ウィンザー家は、もともとはドイツからやってきたハノーヴァー家です。第一次世界大戦の時に「敵国ドイツに由来する名称ではいかがなものか？」という議論が起こり、王宮があった地名のウィンザーに改称したのです。

もともとスイスが発祥だったオーストリアのハプスブルク家は一時期、スペイン、オランダ、イタリアのトスカーナ大公国やナポリ王国を支配していました。そのスペインではハプスブルク家が途絶えると、フランスのブルボン家がスペイン王家になるのです。フランス革命で処刑されたそのブルボン家のルイ16世のお妃《きさき》は、ハプスブルル

ク家出身のマリー・アントワネットです。

要するにヨーロッパでは、王侯貴族同士が婚姻を重ね、王様同士の血統がぐちゃぐちゃなのです。**ヨーロッパの王室はほぼ親戚同士**と言っても差し支えありません。王侯貴族同士の近親結婚が重なったせいで、諸王室には病弱な者が多かったとも言われています。彼ら**王様同士は、「国民のために自分の国家を盛り立てよう！」という意欲より、「自分の領土があいつよりすごい！」的なパワーゲームに興じていた**とも言えます。国民というアイデンティティを一番持てなかったのが、その国の代表＝王室というのは皮肉な現象です。フランス革命を通じて一番変わったのは、王室かもしれません。「自分こそが国民国家の代表者である」というアイデンティティを持ったのですから。

神聖ローマ帝国とロシア帝国はどうなった？

国民国家の統合は、イギリス・フランスに続いてナポレオンが解体した神聖ローマ帝国領だった地域で始まりました。北西部で力を付けてきたプロイセン王国と、南東部のオーストリア帝国が主導権争いを展開し、ヴィルヘルム1世と鉄血宰相ビスマルクが率いるプロイセンが１８６６年の普墺《ふおう》戦争でオーストリアを排除します。そして、プロイセン主導の統合に反対するフランスを、１８７０〜１８７１年の普仏《ふふつ》戦争で撃破してナポレオンの甥・皇帝ナポレオン3世を捕虜にし、ドイツ帝国が誕生しました。ヴィルヘルム1世が統一ドイツの皇帝になる戴冠式が行われたのは、なんとフランスのヴェルサイユ宮殿なのです。

その後に衰退したオーストリアは、領内で力をつけたハンガリー民族の独立を抑えるため、オーストリア皇帝がハンガリー王も兼ねるようになります。オーストリア・ハンガリー帝国の誕生です。

また、フランスはナポレオン3世の退位後に第三共和政に移行、その後は王様がいなくなり大統領制になります。

イタリアでも統合の動きが起きます。もともと中心都市のローマはローマ教皇領で、各都市を中心に王国や公国などの複数の国家に分かれていましたが、何度かの統一戦争を経てイタリア統一運動を指揮した軍人ガリバルディと北部のサルデーニャ王

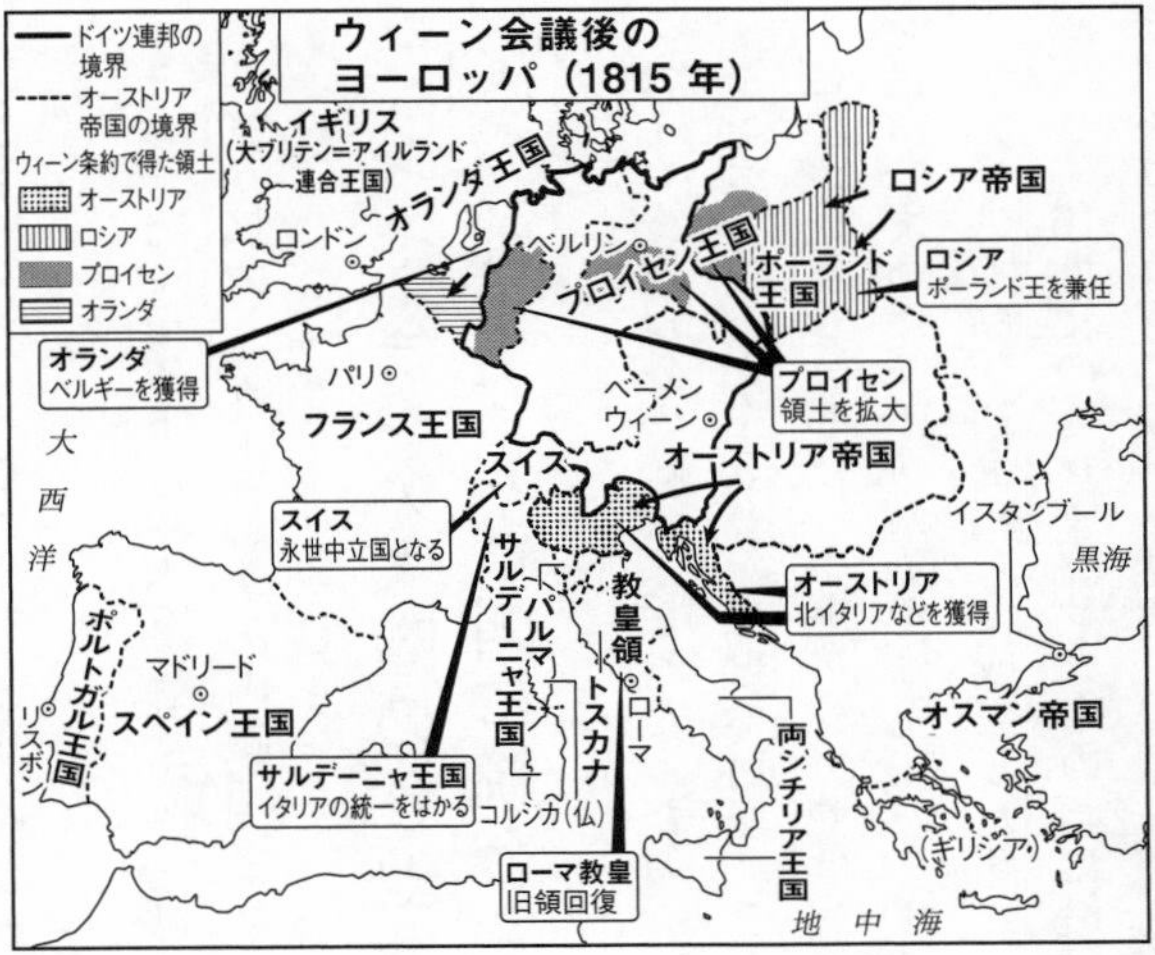

国のヴィットーリオ・エマヌエーレ2世が握手し、1861年にイタリア王国に統合されます。ローマ教皇領はなくなり、その後20世紀に入ると世界最小の独立国、バチカン市国になりました。

ロシアでは17世紀にロマノフ朝が成立、ピョートル1世が皇帝を宣言してロシア帝国になります。ピョートルは大帝を名のり、急速な西欧化・近代化政策を強行、新首都サンクトペテルブルクを建設して北方戦争でスウェーデンなど北欧諸国を凌駕します。

やがて18世紀末にエカチェリーナ2世が登場すると、プロイセンとオーストリアとともにポーランドを分割し併合し、ヨーロッパの大国としての地位を築くのです。

その一方で遊牧トルコ人をコサックと呼ぶ武装集団として組織し、中央アジア、シベリアへ拡大し、ユーラシアの内陸国家（ランド・パワー）として統合に乗り出しました。

ユーラシア大陸の各地域は強大な大帝国に統合される

ヨーロッパ以外の統合はどうだったのでしょうか？

モンゴル帝国が150年ほどで崩壊すると、統合を目指して各地で様々なトルコ系の帝国が成立しました。中央アジアでは、14世紀にはティムールがモンゴル帝国復活を目指しました。ティムールは現在のカザフスタンの英雄です。

西アジアでは、13世紀末に成立したオスマン帝国が、1453年に東ローマ帝国を滅ぼし、16世紀のスレイマン大帝の頃に最盛期を迎えます。常備軍イェニチェリを従え、東ヨーロッパのハンガリー、オーストリアを何度も占領します。キリスト教徒のスラブ人は、イェニチェリになったり、官僚に仕えたりするようになりました。またバルカン半島、エジプトからマグリブ地方も領有し最盛期のイスラム帝国に匹敵する領域でトルコ民族のもと、アラブ人を始め多くの民族が支配されて帝国として統合されました。

インドでは16世紀、ティムールとチンギス・ハンの子孫でイスラム教徒のバーブルが北インドに侵攻し、ヒンドゥー教徒の住民を支配してムガル帝国を建てます。ムガルとは「モンゴル」の意味です。支配者が一神教のイスラム教で、住民が多神教のヒンドゥー教となるのです。これが現代のインドとパキスタンの抗争の遠因です。

イランではティムール帝国衰退後、16世紀にサファヴィー朝が成立。この王朝はシーア派を信仰し、西のスンニ派のオスマン帝国と対抗します。これが現代に続くシーア派イラン人VSスンニ派アラブ人の抗争の遠因になります。

中国では14世紀に、漢民族の朱元璋《しゅげんしょう》がモンゴル民族の元を紅巾《こうきん》の乱で滅ぼして明を建てます。しかし、漢民族帝国の復活は南宋で生まれた朱子学に強く影響されました。その結果、旧態依然とした社会の復活と、海禁政策、つまり海外貿易と渡航の禁止政策が行われたのです。しかし、最盛期の永楽帝《えいらくてい》の時には鄭和《ていわ》による大規模な南海遠征が行われ、ヨーロッパの大航海時代の70年も前にインド洋からアフリカの東岸まで2万7千人の船員からなる大艦隊が編成されました。しかしこの遠征はあくまで、従来型の中国を中心とした貿易である朝貢貿易で、中国には大航海時代は到来しなかったのです。

当時圧倒的な文明力・技術力を持っていた中華文明になかなか近代化が訪れなかったのは、朱子学による文化の硬直化がやはり否めません。やがて金の末裔《まつえい》・満州の女真が、17世紀初頭に衰退した明を滅ぼし清を建てます。女真は、辮髪《べんぱつ》という頭髪の一部を残して頭を剃る髪型を漢人に強要、中国を女真化して支配・統合を図ります。

また台湾、モンゴル仏教（ラマ教）のチベットとモンゴル、イスラム教徒のウイグル人の東トルキスタンを征服して、現在の中国の領土の元になる地域を統合します。東トルキスタンは、新たな領土という意味の新疆《しんきょう》と名付けられました。

文明としては停滞していますが、世界一の人口を抱える多民族国家の大帝国・清は、経済規模的には圧倒的なパワーを持ち、欧米諸国には眠れる獅子と恐れられていました。

各民族が統合を目指した地域は、列強が我が物にしようとした場所でもある

かつてイスラム帝国の主役だったアラブ人たちは、トルコ人のオスマン帝国に長年従属していました。

やがて19世紀には、オスマン帝国でも衰退が始まります。ヨーロッパの市民革命の状況を知ると、彼らもアラブ人の国民国家としての統合を目指します。そして彼らのアイデンティティの目覚めに、助っ人として現れたのが国民国家の先輩たち、すなわちイギリス・フランス・ロシアでした。彼らは助っ人という名目で、オスマン帝国内を侵略します。インドでも、同様の動きがありました。当時、ムガル帝国の統合力が弱まり、諸民族間で対立を繰り広げていました。そこにつけこんだのがイギリスです。

清では、文明が停滞していました。イギリスとフランスは麻薬の一種・アヘンを輸出して侵略を企てます。

このようにアジア・アフリカで、最初はイギリス・フランス・ロシア、続いてドイ

ツとイタリア、さらに大陸横断鉄道による東西の地理的統合と南北戦争で南北が政治的に統合されたアメリカ、そして明治維新により天皇の下でアジア初の国民国家に統合された日本などが助っ人という名目で、侵略を次々に始めます。これらの国々は列強と言われました。しかし、その列強の助太刀は侵略そのものでした。そこには崇高な理念などこれっぽっちもなく、崇高に見える理念を形だけ示したものでした。あったのは、列強諸国の、自らの富への欲望だけでした。こうして**列強は、侵略した地域を植民地にしていきます。列強の富への欲望が、すなわち帝国主義**です。

アジア・アフリカでは、「各民族のアイデンティティの自覚」と「列強の帝国主義」がいびつな形で不自然に統合され、見せかけだけの国民国家=植民地が次々建国されるのです。各民族の統合は、列強による分割を意味しました。統合と分割が同時に行われるなんて、すごい矛盾ですね。

19世紀半ばの新たな世界システムの誕生は、そんな列強諸国の利害関係に基づいた利権争いのパワーゲーム=「帝国主義による世界分割」と、各民族の自主独立の理想である「国民国家の統合」という、分割と統合のねじれで起こりました。現在まで続くナショナリズムという名の混乱は、まさにこのねじれが原因なのです。

第19講

19世紀、20世紀／全世界

分割の話

植民地と
そこへのルートが欲しくて、
世界を分割し続けた。

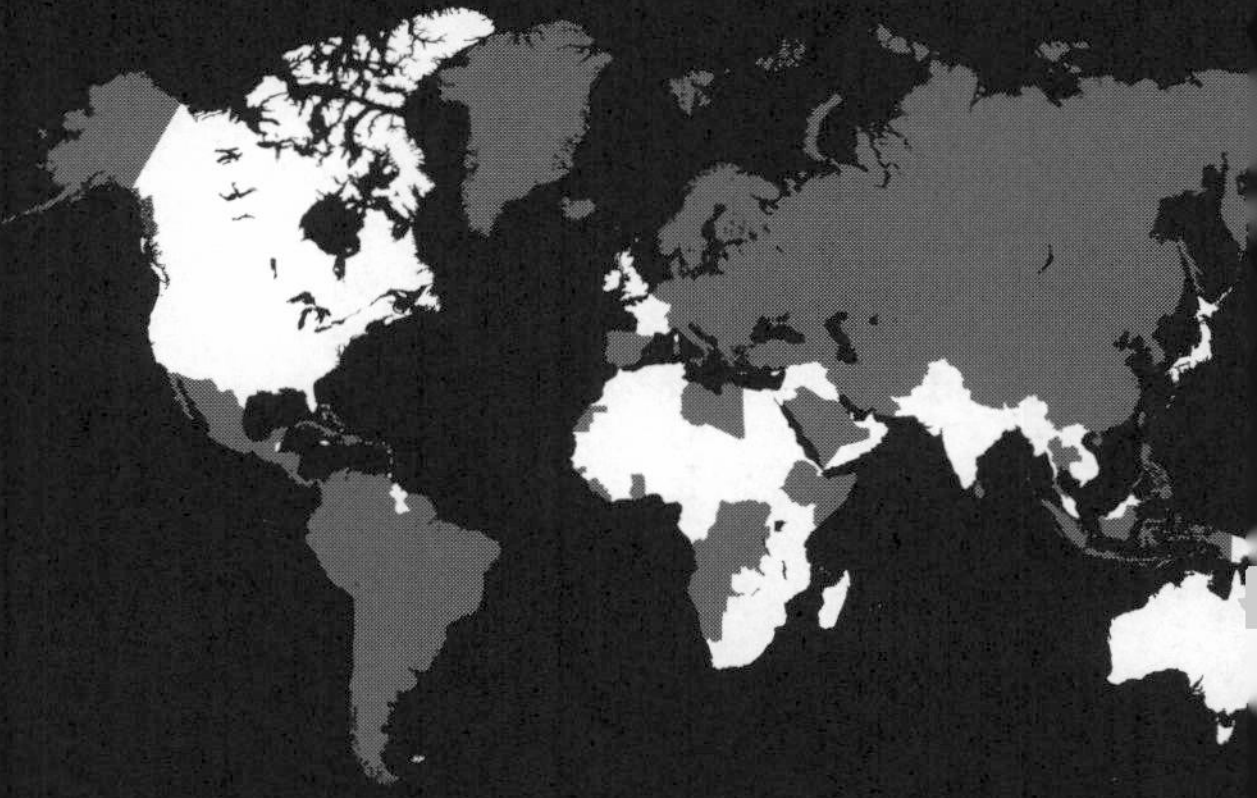

アジアとアフリカは列強諸国の餌食となった

先講で述べたように、まず自分たちが国民国家として統合された列強諸国は、自分たちの利権確保のためアジア・アフリカ地域を分割していきます。その帝国主義による世界分割に利用されたのが、各地域に住む個々の民族の国民国家への統合の理念です。

統合と分割という一見矛盾する観点で世界史を見ていくと、世界史の核心をつかむことができます。

19世紀初頭から20世紀に入り、列強諸国による覇権争いが各地域で繰り広げられました。このような分割が、二つの世界大戦が終わる1945年まで続きます。もちろん戦後も各地での国民国家への統合は活発に続くのですが、少なくとも**列強のパワーゲームは第二次世界大戦の終結とともに終わりました。**

ですので、この講では19世紀半ばから20世紀初頭までの世界史を帝国主義列強による世界の分割という観点だけで、ズバッと見ていこうと思います。

各国の行動力学は次の二つ。自分たちの植民地確保による勢力拡大のための世界分割と、本国から植民地へのルート確保です。まずは各国の行動原理を見ていきましょう。

「世界の工場」イギリスが欲しかったのは、植民地よりも商品の輸出先

まずは大英帝国です。イギリスは、インド、アフリカ、カナダ、オセアニアなどに植民地を持ち、まさに「太陽の沈まない帝国」でした。その**イギリスの基本理念は3C政策**でした。エジプトのカイロ（Cairo）、南アフリカのケープタウン（Cape Town）、インドのカルカッタ（Calcutta）という各植民地の都市を三角形で結ぶように、海路と陸路を確保する政策です。

イギリスは、東インド会社以来拠点にしていたインドを統合しようと、インド人傭兵セポイ（シパーヒー）の反乱に乗じて1858年に植民地化します。そして

1877年にはヴィクトリア女王が皇帝になりインド帝国を建てます。ちなみに今のインド・パキスタン・バングラデシュというインド亜大陸が一国家としてまとまったのは、実は有史以来このインド帝国が初めてなのです。**幸か不幸か、インドの統合はイギリスの植民地支配によって達成された**のでした。

このように今まで国になっていなかった地域が列強の後押しでまとめられて一国家として独立できたことも、歴史的な事実です。しかし他方では、**そのまとまりは、各民族の状況や希望を顧《かえり》みない、あくまで列強側の都合から見た独立**でもありました。

第二次世界大戦後に列強が各植民地から撤退すると、一気にその矛盾が噴出することになります。

3C政策でインドへの最短航路を確保するためにイギリスは、エジプトとフランスが地峡（二つの陸地を結ぶ細くて狭い場所）を切り開いて造ったスエズ運河を確保します。さらにアフリカ大陸では、カイロから南端のケープタウンまでのルートを確保するため、アフリカ縦断政策がとられました。

また、イギリスはそれ以外の地域では、領地確保よりも海港を求めました。目指したのは自由貿易です。イギリスは当時最も進んだ「世界の工場」でしたから、**商品を**

輸出できる市場が確保できれば、あえて植民地にする必要がなかったからです。

自由貿易では一番強い国が圧倒的に有利という観点を忘れてはいけません。自由を掲げるには、その自由を自由に使えるだけのパワーが必要なのです。

イギリスとフランスは腐れ縁の関係

続いてフランスです。イギリスとは宿命のライバルと言える関係がありました。14、15世紀には領地争いや王位継承をめぐる百年戦争を繰り広げ、18世紀からは各地で植民地の獲得競争を行いました。ナポレオン戦争までを第二次百年戦争と呼ぶこともあります。

両国は19世紀にも、世界の各所でパワーゲームを繰り広げました。

フランスは、地中海を挟んでモロッコ、アルジェリア、チュニジアなどマグリブ地方から、アフリカのサハラ砂漠地帯を経て、ギニア湾沿岸を植民地化します。**アフリカ横断政策として西から東へ植民地を広げていった**のです。

縦断政策を標榜していたイギリスとは1898年のスーダンのファショダ事件でぶつかり、フランスは敗れます。

ちなみにサハラ砂漠にニジェールという国があり、その南部にはナイジェリアがありますが、これらはもともと同じ地域です。ナイジェリアという英語のフランス語読みがニジェールなのです。

同様に南米にもギニアとガイアナがありますが、ギニアがフランス領、ガイアナがイギリス領となります。

アジア侵略では、フランスはインドシナを植民地にしましたが、インドを領有するイギリスとの間の緩衝国としてタイ王国は独立が保たれました。

その一方で**オスマン帝国や清への対応では、利害が一致します。つまりフランスとイギリスとは腐れ縁**なのです。

その後、イギリスとは1904年に英仏協商を締結し、それぞれの支配権が確定し、共同歩調を取るようになります。

そこには、それぞれの**共通の敵**があったからです。**最初の敵はロシア、続いて現れた敵はドイツ**でした。

植民地獲得合戦は早い者勝ち!?

最初に立ちはだかったイギリス・フランス共通の敵は、シベリアを領有した帝国ロシアでした。北部が極寒の北極圏であり海洋ルートが拓けなかったロシアは、不凍港を求めます。

こうして**南下政策を目論んだロシア帝国を阻止しようとしたのは、大英帝国（イギリス）**でした。西アジアでは黒海から地中海へ出る海のルートを確保したいロシアは、衰退したオスマン帝国を北から侵略して分割しようと、1853年にクリミア戦争を起こします。しかし、それを**英・仏は共同でオスマン側に味方し押しとどめます。**

南アジアでは、**インド洋へ進出しようとするロシアの南下政策を阻止するため、イギリスは緩衝国アフガニスタンを作りました。**

アフガニスタンはもともと、イギリスのご都合主義で、一つの国としてこの地域が割り当てられただけです。結果としてアフガニスタンは、複数の民族が同居する極めて難しい国家として誕生しました。しかし、この無理のある国造りにより、その後に内戦が起きてしまいます。さらに20世紀になると、ソ連からの侵攻もありました。アフガニスタンは現在までずっと混乱が続くのです。

さらにイギリスは、ロシアの南下を阻止するために、**清とインドが接するチベット民族の独立の気運に助っ人として乗っかり、支配を画策**します。現在の中国内でのチベット独立運動は、このイギリスの政策に端を発しているのです。

さらにロシアは、日本に来航して鎖国中の日本に開国を求めます。それを無視した日本はその後、アメリカのペリー来航を契機に、イギリス、フランス、ロシアと開国しますが、やがて20世紀に入り日英同盟を結ぶのは、このイギリスのロシア南下政策阻止の一環なのです。

遅れて統一されたドイツ帝国では、オーストリア・ハンガリー帝国とともに、弱体化したオスマン帝国の分割に力を入れます。ベルリン（Berlin）からビザンティウム（Byzantium）、バグダード（Baghdād）を陸路で結ぶ**3B政策を掲げる**のです。ちなみに、ビザンティウムはコンスタンティノープルの旧称で、ビザンツ帝国の名称の由来です。

またアフリカでは、東アフリカ（タンザニア）やカメルーン、南西アフリカ（ナミビア）等を分割しました。

イタリアは、リビアの分割や世界最古の王国エチオピアへ侵略します。

イギリス・フランスに遅れを取ってしまったドイツとイタリアがこのような地域に手を伸ばしたのは、手付かずの土地がそこしかなかったからです。

ドイツとイタリア。この2カ国が持ってしまった「遅れを取った」という意識、それがやがて二度の世界大戦へとつながります。植民地獲得合戦は早い者勝ちなのです。

アメリカ、そして日本が注目を浴びる存在となる

南北戦争を終えたアメリカ合衆国は、東海岸から西海岸へ進むフロンティアスピリットを大陸横断鉄道の開通で達成すると、他の列強に負けじと、**日本の開国、清の分割、1898年のフィリピン・キューバの領有へと進み、1899年に「門戸開放**

宣言」を発して清への経済進出に転じます。

その清は、イギリスからのアヘンの流入に苦しんでいました。茶の大流行で、清の茶を求めたイギリスは、銀での膨大な支払いの代わりとして、インドで栽培したアヘンを輸出したのです。

麻薬で荒廃した清は林則徐《りんそくじょ》のもとアヘン貿易を厳禁しますが、それを覆すためイギリスは1840年にアヘン戦争を始めます。火力の差によってアヘン戦争で負けた清はそこから没落への道を歩んでいくのです。それまで世界のGNP（国民総生産）は歴史上ずっと中国が一番でしたが、アヘン戦争を境に没落します。イギリスは多額の賠償金を獲得するとともに、香港を領有します。

これまでの清は、眠れる獅子と呼ばれ、そのポテンシャルで列強諸国から恐れられていました。しかし**アヘン戦争に続くアロー戦争、太平天国の乱などにより、清の国力は大いに衰退、列強諸国の草刈り場になってしまう**のです。

そして日本です。**明治維新によってアジア初の国民国家となった日本は、そんな列強による中国分割に参画**します。日清戦争（1894〜1895年）では清に勝利し、台湾を領有します。

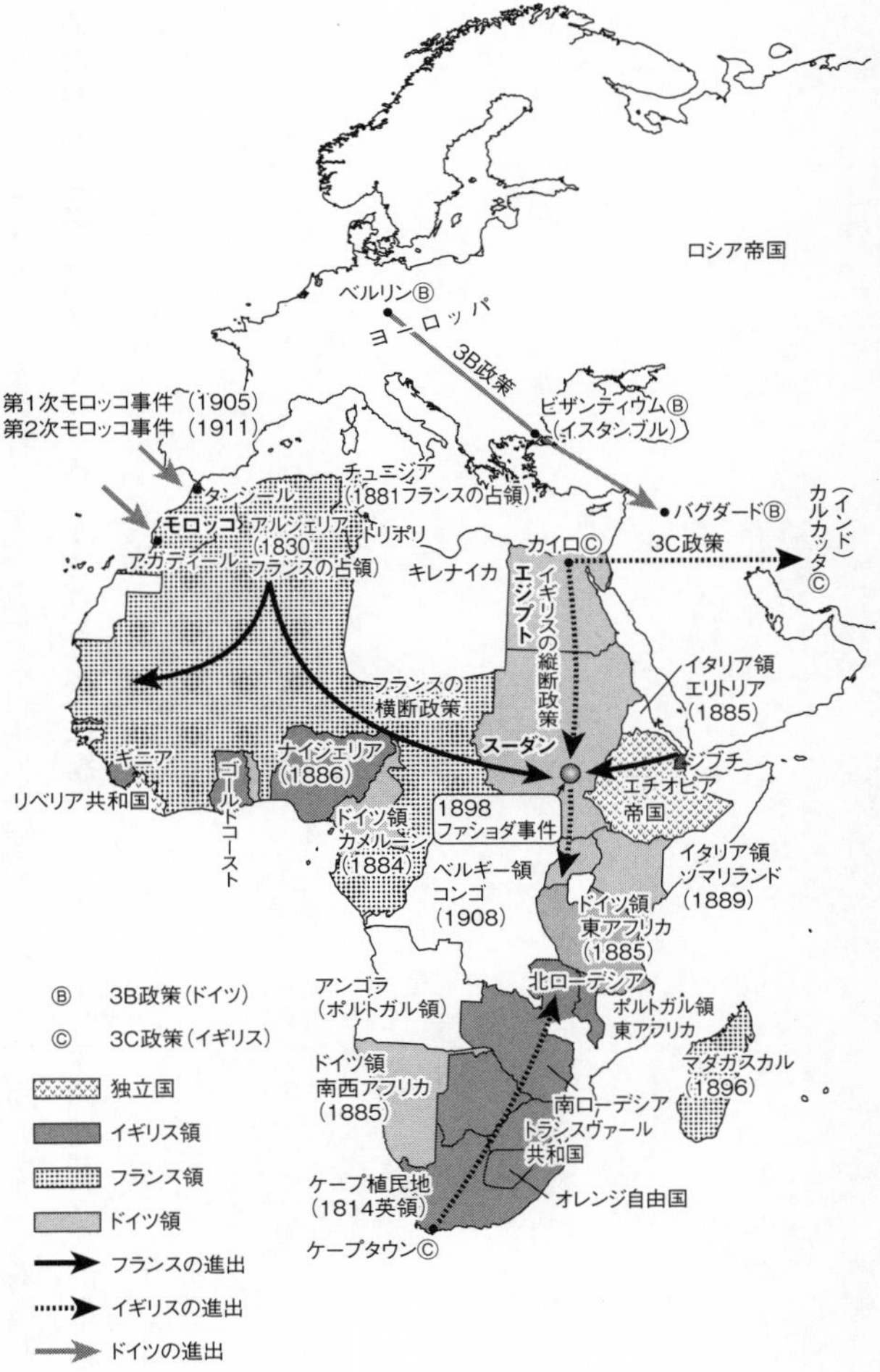
ロシア帝国
ベルリンⒷ
ヨーロッパ
3B政策
第1次モロッコ事件（1905）
第2次モロッコ事件（1911）
ビザンティウムⒷ
（イスタンブル）
チュニジア
（1881フランスの占領）
タンジール
モロッコ
アルジェリア
（1830
フランスの占領）
トリポリ
アガディール
バグダードⒷ
カイロⒸ
3C政策
（インド）
カルカッタⒸ
キレナイカ
エジプト
イギリスの縦断政策
イタリア領
エリトリア
（1885）
フランスの
横断政策
スーダン
ジブチ
ナイジェリア
（1886）
ギニア
リベリア共和国
ゴールドコースト
エチオピア
帝国
1898
ファショダ事件
ドイツ領
カメルーン
（1884）
ベルギー領
コンゴ
（1908）
イタリア領
ソマリランド
（1889）
ドイツ領
東アフリカ
（1885）
アンゴラ
（ポルトガル領）
北ローデシア
ポルトガル領
東アフリカ
Ⓑ　3B政策（ドイツ）
Ⓒ　3C政策（イギリス）
独立国
イギリス領
フランス領
ドイツ領
フランスの進出
イギリスの進出
ドイツの進出
ドイツ領
南西アフリカ
（1885）
マダガスカル
（1896）
南ローデシア
トランスヴァール
共和国
ケープ植民地
（1814英領）
オレンジ自由国
ケープタウンⒸ

続いて、イギリスによるロシア南下政策阻止の代理戦争という側面もある、**満州の勢力争いで日露戦争（1904～1905年）に勝利**し、1910年には**朝鮮を併合**します。世界史への日本の本格的登場です。

第20講

20世紀／全世界

戦争の話

戦争を起こさないためには、
戦争をよく知る必要がある。

第一次世界大戦敗戦国のドイツがリベンジを図って第二次世界大戦が起きた

世界史とは、戦争の記述と言い換えることもできます。あらゆる時代、あらゆる場所で数々の戦争が行われてきました。現代の日本を生きる僕らには実感が湧かないかもしれませんが、むしろ戦争のない状態の方が珍しいのです。

現代の日本人は、長年戦争を直接経験しない珍しい時代を生きています。そんな僕らにとって戦争を理解することはとても難しいことなのかもしれません。そもそも戦争とは何なのでしょうか？

20世紀に入ると、世界分割を一応完成させた列強諸国は、自分たちの利益を最大限にするために、他国と結びついたり離れたりを繰り返し、やがて大きく二つに分かれます。

イギリス・フランスなど先に世界分割をした側＝既得権益連合とドイツや日本などの後から世界分割に参加した側＝新規獲得連合です。この二大陣営で、やがて**新規獲**

得側が勢力圏を一気に逆転させるための既定秩序のガラガラポンを画策します。それにより起こったのが世界大戦です。

ガラガラポンは20世紀に二度行われました。一つは、ドイツが英仏主導のヨーロッパ主導による既存の世界秩序の反転を目指してチャレンジした、1914年の第一次世界大戦。もう一つは、第一次世界大戦に敗北したドイツが1939年に再チャレンジし、そのドイツと組んで欧米主導のアジア秩序の反転を目指した日本が1941年からチャレンジした第二次世界大戦です。

この**世界大戦は、ガラガラポンを仕掛けた方が負けました**。そして負けたことで、チャレンジャー側が思い描いた新秩序に世界がなることはありませんでした。

しかし、それまでの旧秩序が維持されたわけでもなく、全く新しい方向に世界が再編されていくのです。列強が築いてきた植民地では、各民族が次々と独立を果たし、国民国家を形成していくのです。**戦争とは勝ち負けにかかわらず世界を再編していくアクション**であることを知っておくのは、世界史理解における重要なポイントです。

第三次世界大戦が起きないのは、核兵器が恐ろしすぎるから

今のところ、第三次世界大戦はかろうじて行われていません。なぜなのでしょうか？

20世紀の戦争は、今までの戦争とは次元の違うものとなったことが主な理由です。それまでの戦争は、戦闘地域で戦闘のプロが行う限定的な争いが多かったのですが、市民革命により成立した国民国家から国民軍が生まれます。国民軍の誕生は、国民全員が戦争に参加することを意味しました。非戦闘員である一般国民も戦争に組み込まれ、産業革命により誕生した様々な技術の発達で生まれた毒ガス・軍艦・戦車・飛行機等の大量殺戮《さつりく》兵器が次々と作られ、大量に使用されたのです。

それまで「他人事」だった戦争は、大量動員と大量殺戮が必要な総力戦＝「みんなの戦争」になったのです。全員が戦争の当事者で全員が戦争の被害者ということです。

第二次世界大戦は、究極の大量破壊兵器・原子爆弾が二つ使われ、1945年8月

に終結しました。戦争被害のあまりの大きさに世界は愕然《がくぜん》とします。**それ以上の大戦は世界の滅亡を意味するということに、人類はようやく気付いた**のです。

その後核兵器は何度か使用を議論されたものの、使われていません。むしろ核兵器を使用させないために核兵器を保有するという核抑止力の理論がおこります。ひとたび戦争を仕掛けたら、仕掛けた側も強烈なカウンターパンチを食らうからです。矛盾するようですが、あまりにも強力な兵器＝核を持ったことで、ガラガラポンを目論む世界大戦はとりあえず起こらなくなったのです。

冷戦は事実上の第三次世界大戦！

とはいえ、世界中で戦争は後を絶ちません。**もはや世界大戦が行えないことを自覚した大国は、再び戦争を他人事にしようと画策した**からです。各地域の旧植民地の民族独立戦争に協力する形で、自分たちの勢力圏の維持・拡大を図る方向に舵を切ったのです。

例えば、1948年のイスラエル建国が挙げられます。欧米に居住していたユダヤ人たちが、かつての祖国パレスチナに戻ります。イギリスの撤退の後、欧米の後押しで行われました。しかし、かつての祖国と言ったって、それは2千年も前の話です。当然その2千年の間、別の民族であるアラブ人たちが住んでいました。

そこで、アメリカ、イギリス、フランスが支援するイスラエルと、ソ連が支援するアラブ諸国と4次にわたる中東戦争が起こります。まさに、大国同士の代理戦争になったのです。自分たちが直接戦わず代理で戦わせる、それが冷戦……。要するに大量動員・大量殺戮をしなくても、「他人事」で戦争をすませた事実上の第三次世界大戦が冷戦なのです。

原爆が使用された当事者の日本は、皮肉なことかもしれませんがその恩恵に預かったのか、1945年以来現在まで戦争をしていません。でもそれは、僕たちが戦争を他人事ですませていたとも言えるのです。

これからの日本はどうなるのでしょうか？　再び自分たちの戦争を行うのでしょうか？　今までのように他人事ですませられるのでしょうか？　少なくともその岐路に立っているのが今の日本の状況です。そしてその岐路に立つ僕たちが、自分たちの方向を考える上で必須な要素が、二つの大戦の話には詰まっています。

内政のごたつきが戦争を呼び、戦争継続の困難がさらなるごたつきを呼ぶ

戦争とはつまるところプライド＝自尊心の張り合いです。第二次世界大戦は、持てる国（米・英・仏）と持たざる国（日・独・伊）の対立という構図がありながら、ドイツと日本のプライドから起こった野望に基づいています。その野望はいつしかファシズムと呼ばれる国家独裁体制に変貌したのです。このファシズムが、野望を貫徹するために国内では労働者を、国外では被占領民を抑圧する体制まで作り上げました。

話を巻き戻して、第一次世界大戦の起こる契機から見ていきましょう。

19世紀末に産業革命が二次段階に進み重工業が発達すると、アメリカとドイツが躍進して、軽工業主流のイギリスの絶対的優位が崩れました。

ドイツは19世紀末にイギリスを抜き、ヨーロッパ第一の工業国に発展。それまで外交主導で紛争を避けてきた宰相ビスマルクを退けて即位した血気盛んな若き皇帝ヴィ

ルヘルム2世は、３B政策でバルカン半島方面から衰退するオスマン帝国を勢力圏に置こうとします。また、海軍力を増強して、これまでのイギリス・フランス主導の世界体制を覆す野望を抱きました。拡張政策をとったのです。

一方で、日露戦争で敗れたロシア帝国は弱体化し、内政で混乱してその後のロシア革命につながります。内政でゴタゴタが続くロシアは、外征の余裕がなくなり、イギリス・フランスと協調路線をとるようになります。それが１９０７年に完成した三国協商です。

内政がごたつくと、国民の不満から目をそらすため戦争を行う。そしてその戦争がうまくいかなくなると内政がよりごたつき、結局戦争が続けられなくなる。このパターンは世界史で散見される出来事です。

アメリカは最初、中立の立場をとっていた

三国協商は、北からイギリスが、西からフランスが、東からロシアが三方を包囲し

第一次世界大戦　相関図

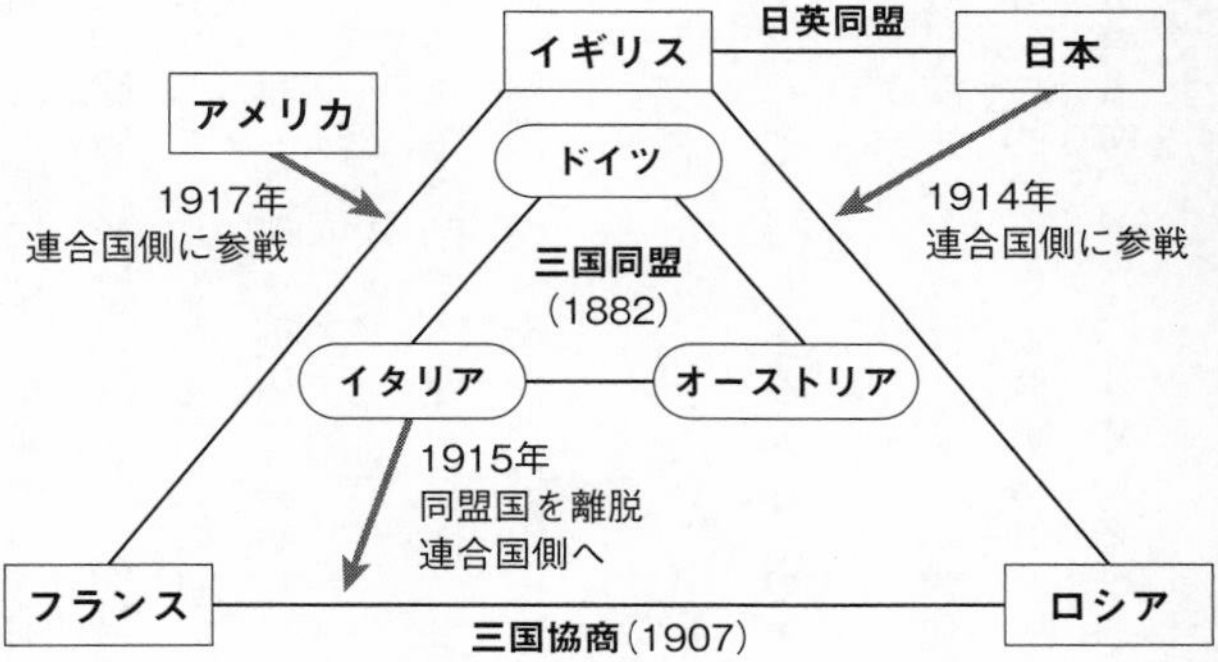

て、躍進するドイツを阻止する目的で作られました。

ドイツは盟友オーストリアとともに南へ目を向けます。これが原因で、１９１４年にサラエボでは、セルビア人青年によってオーストリア皇太子夫妻が暗殺されます。そこで、オーストリアがセルビアに宣戦布告、ドイツ帝国・オーストリア＝ハンガリー帝国・オスマン帝国側と、イギリス・フランス・ロシア・日本など三国協商側27カ国とが争う、第一次世界大戦が始まったのでした。

総力戦により戦争は長期化し、特にドイツ・フランスが対峙する西部戦線とドイツ・ロシアが対峙する東部戦線では激戦が展開され、軍需物資が底をつき国土が荒廃したのです。
この**膠着《こうちゃく》状態を打開したのは、もう一つの躍進国アメリカの参戦**でした。それまではヨーロッパの国々同士の争いと傍観していた中立国アメリカでしたが、大量生産した武器・弾薬を英仏に供給して軍事的に支援しつつ、戦時国債を発行して戦費を供給して経済的にも支援します。こうして1918年にドイツは降伏し、戦勝国もアメリカの資金援助で再建を目指します。ここから現在まで続く、アメリカの軍事力と経済力の覇権という新たな世界秩序の構築が始まるのです。

ドイツの再チャレンジを挫《くじ》いたのは、やはりアメリカ！

翌年決まったヴェルサイユ講和条約は、ドイツへの多額の賠償金や領土割譲《かつじょう》など英仏の報復《ほうふく》的色合いが強いものでした。やがてその**報復への報復という野望を、ドイツは抱きます。ヒトラー率いるナチス・ドイツによる、米英仏など連合国への再チャレンジ**です。

当然、世界は大戦の悲劇を二度と起こさないために、信用醸造装置を生み出しました。それは国際連盟です。アメリカのウィルソン大統領の提案により、イギリス、フランス、イタリア、日本が常任理事国となって発足したのですが、当のアメリカは自国の議会の承認が得られず不参加でした。その後、矢継ぎ早に復興を遂げたドイツ、ロシア革命で成立したソ連も参加し常任理事国になりますが、当の常任理事国である日本やドイツ、イタリアがこの国際連盟の制止を聞かず、ファシズムに走り脱退するのです。

当時一番の民主主義憲法と言われるワイマール憲法を持ったドイツでは、その民主主義の中でナチスを率いるヒトラーという独裁者が誕生します。多数決が絶対の民主主義は、その多数決さえ牛耳ってしまえば、どんな危険なことでも決まってしまう危険性があることを僕たちは忘れてはなりません。ドイツはソビエト連邦と1939年に独ソ不可侵条約を結び、9月にはポーランドに侵攻します。第二次世界大戦が始まったのです。そして、翌年には周辺各国オランダ・ベルギー・デンマーク・ノルウェー、そしてフランスに電撃的に侵攻、パリを占領します。ヨーロッパ制覇を狙った19世紀のナポレオンと行動が似ています。また自分たちドイツ人の民族優生を根拠に反ユダヤ主義を標榜するヒトラーのナチスは、ホロコーストと呼ばれるユダヤ人の大量虐殺を行います。

ドイツは、イタリアおよび日本と日独伊三国軍事同盟を結成して、１９４１年6月には不可侵条約を破棄し独ソ戦を開始し、ソ連の戦略物資を狙います。12月には日本もハワイの真珠湾を奇襲攻撃し、アメリカに宣戦布告。

こうしてアメリカ、イギリス、フランス、中華民国、ソ連の連合国側と、ドイツ、イタリア、日本の枢軸国《すうじくこく》側に分かれて激戦が各地で行われます。独ソ戦は熾烈《しれつ》を極めました。しかし、ソ連軍の激しい抵抗でドイツは退却。これもナポレオンと同様です。ヨーロッパ制覇という独裁者の熱い野望は、いつも極寒のロシアに阻まれるのです。

ドイツのヨーロッパ制覇という野望を挫《くじ》いたのは、第一次世界大戦時と同じくアメリカでした。１９４４年6月にフランス北岸のノルマンディに上陸したアメリカ主導の連合軍は8月にパリを解放し、西からドイツへ迫ります。

東からはソ連が迫り１９４５年4月にヒトラーは自殺、5月に首都ベルリンが陥落し、ドイツは降伏。ドイツの野望は終わりました。そしてそれはイギリス・フランス・ドイツが主導してきた世界史におけるヨーロッパの覇権構造の終わりをも意味し

第二次世界大戦　相関図

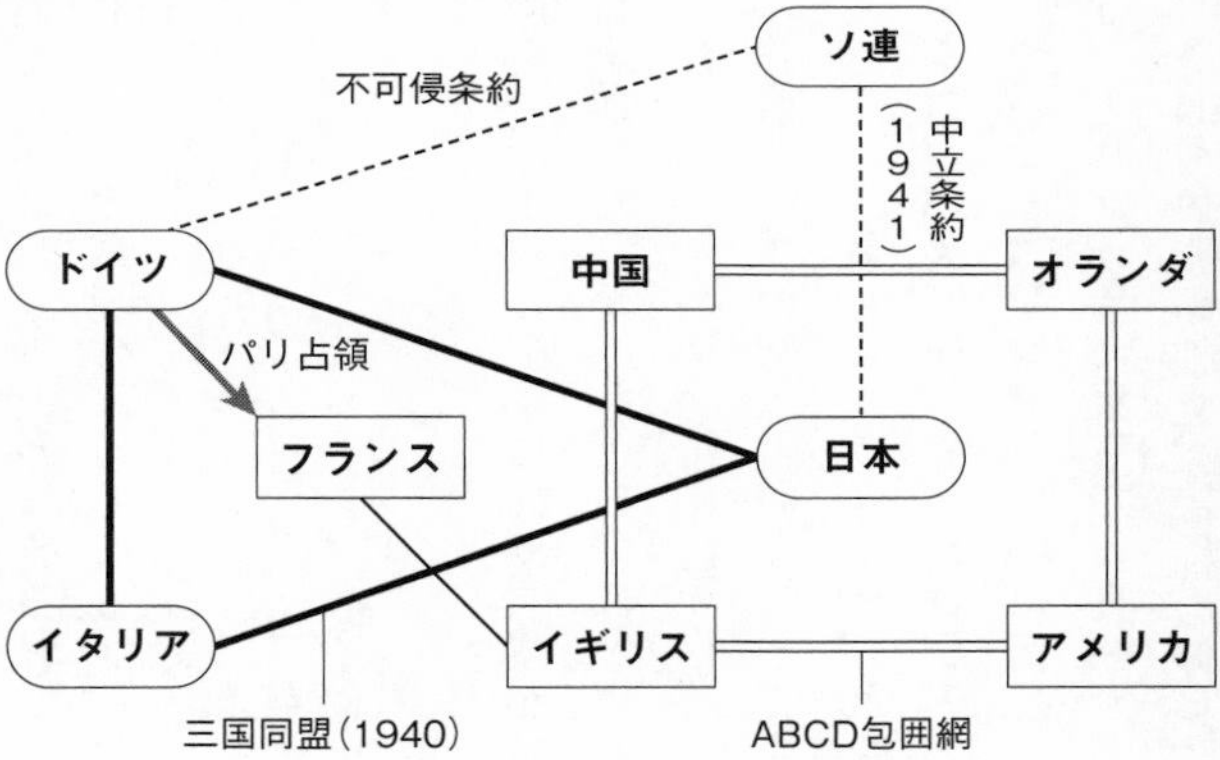

ていました。長年争ってきたヨーロッパ大陸の2大国ドイツとフランスは、その後は協調路線を進み、東西冷戦を経て、ヨーロッパの統合、現在のEU体制へと進むのです。

その後の世界は、ドイツを破った連合国の覇者アメリカVSソビエト連邦という新たな東西冷戦という新秩序へと変わるのです。

また、連合国の枠組みから、国際連合が成立します。連合国も国際連合も、英語ではUnited Nationsです。実は日本では敗戦後、意図的に訳語を変更しただけです。

経済的に発展し、かなりの国際貢献

をしているのに、なぜ日本もドイツも国連の常任理事国でないのか？　それは、日本もドイツも連合国の敵国であるからなのです。

日本が日露戦争に勝ったことがアジア人の自尊心を覚醒《かくせい》させた

極東では1902年に日英同盟が結ばれると、1904年に日露戦争が行われ、翌年日本がなんとか勝ち、日本は名実ともに列強の一員になります。

10年前の日清戦争では中国を破り、日露戦争でロシアを破り、アジア唯一の列強、すなわちアジアの盟主《めいしゅ》ということです。さらには、近代戦争で初めて白人に勝った黄色人……、これらのプライドが、20世紀初頭に日本人の中に育まれていきます。

「ヨーロッパ人に屈していたアジア人だってやれるんだ！」

このパッションはアジア中に伝播します。その頃、中国から日本へ留学していた孫文は、1905年に東京で女真族王朝の清帝国打倒を目指す中国同盟会を結成しました。そして民族の独立、民権の伸長、民生の安定からなる三民主義の実現を目指し、やがて１９１１年の武昌蜂起《ぶしょうほうき》から始まる辛亥《しんがい》革命が起き、各地が清からの独立を宣言し、翌年、皇帝は退位し清は滅亡するのです。中国同盟会は国民党に改組され、中華民国が成立します。しかし列強諸国は自分たちの利権を確保するため、各地方を牛耳る軍閥《ぐんばつ》を支援し、中国はバラバラ状態が続きます。

この**中国に最も積極的に介入したのが、皮肉にも同じアジアの国・日本**でした。日本は１９３１年に南満州鉄道を爆破する柳条湖《りゅうじょうこ》事件を起こし、それが中国側の仕業であると主張し、軍事行動を起こして中国東北部（満州）を軍事的に制圧します。満州事変です。その翌年には、ラストエンペラー・愛新覚羅溥儀《あいしんかくらふぎ》を担ぎ上げて満州国を建国しました。

さらに１９３７年には、日本と中国の軍隊が衝突する盧溝橋《ろこうきょう》事件を起こし、ついに日中戦争が始まります。

アジア人に勇気を与えると同時に、そのアジアを支配下に置こうとした!?

日本人の世界史における二面性はとても重要です。**アジア人として白人たちに負けないという「下から目線」のプライドを全世界に向けて標榜**しつつ、第二次世界大戦の最中に欧米諸国の秩序を変更させるべく太平洋戦争を起こしました。その思いはやがて、アジア人の独立への希望を呼び覚まさせます。

しかし一方で、**アジアの中では「上から目線」で自らの優越性を意識して、朝鮮、中国、東南アジアを支配下に置こうと企てる**のです。１９４１年のハワイの真珠湾攻撃で始まった戦争を大東亜戦争とも言いますね。このネーミングも、日本のプライドを冠したものと言えます。対するアメリカ側が命名したのが太平洋戦争という呼び名です。

初期の日本の快進撃も虚しく、やがてアメリカの物量に負け、沖縄戦、各都市の空襲、広島・長崎の原爆攻撃により、１９４５年8月15日に終了します。日本の野望もドイツと同じく、アメリカに挫かれたのでした。

現代史は「教わるもの」ではなく「自分で考えるもの」

終戦の翌々年、日本で新しく施行された日本国憲法の第9条にはこうあります。日本国憲法は、連合国軍が日本占領中に設置した総司令部のGHQの指導で作られました。

1、日本国民は、正義と秩序を基調とする国際平和を誠実に希求《ききゅう》し、国権の発動たる戦争と、武力による威嚇《いかく》又は武力の行使は、国際紛争を解決する手段としては、永久にこれを放棄する。

2、前項の目的を達するため、陸海空軍その他の戦力は、これを保持しない。国の交戦権は、これを認めない。

国と国それぞれには利害があります。利害が一致すれば協調しますが、不一致だと対立します。その対立が国際紛争を生じ、その紛争を一気に解決する手段が、国家が行う戦争なのです。その戦争を現在の日本は放棄しているのです。なぜ戦争を放棄するまでの決意を日本人はしたのでしょうか？　それは、**「戦争が紛争を一気に解決する手段である」という考え方が間違いだと気付いた**からではないでしょうか。戦争を仕掛けて失敗して痛い目に遭った日本人だからこそ、気付いたのだと思います。

戦争で勝利するためには、多大なお金と労力をかけなければなりません。しかしその戦争を遂行して勝利までいきつき終了させるのには、それこそ戦争を始める以上のエネルギーが要求されるのです。

僕はこう考えます。もし**国際紛争を解決したいのならば、それはどのような状況下においても戦争を起こさない、起こさせないことなのではないか？　そしてその戦争を起こさないためには、間違ったプライドと間違った野望を抱かないこと**だと思うのです。そのためにも、僕たちは世界史を知る必要があるのです。

「学校であまり現代史を教わらなかった」。よく耳にする言い様です。しかし**現代史こそ、教えてもらうよりも自分から学ぶべきジャンルではないでしょうか**。現代に生きる自分たちが自分たちで知り、感じ、考える必要があるものだからです。それが戦争をなくす唯一の手段だと、僕は考えます。

第21講

20世紀／全世界

イデオロギーの話

社会主義成功の
カギを握るのは、
イデオロギーにあらず。

1●89年には何かが起こる……

僕が高校を卒業した1989年まで、世界は二つに分かれていました。アメリカ合衆国をリーダーとする資本主義陣営VSソビエト連邦をリーダーとする社会主義陣営です。

そこにははっきりと壁がありました。実際その象徴としてドイツは西ドイツと東ドイツに分かれ、当時の東ドイツの首都ベルリンは西ベルリンと東ベルリンとに分かれていました。その間には本当に壁があったのです。有名な「ベルリンの壁」ですね。

1989年は世界史的には大転換の年で、歴史が教科書レベルで動いた年でした。日本では1月に**昭和天皇が崩御**され、昭和から平成に変わりました。

春頃から共産主義のソ連や東欧諸国はガタガタと揺らぎ始め、民主化に向けて動き出す**東欧ビロード革命**が始まりました。6月には中国で**天安門事件**が起こります。ゴルバチョフ書記長のソ連では**ペレストロイカ（改革）**が進みます。そして11月にはべ

ルリンの壁が崩壊して、12月にはマルタで米ソの首脳が会談して**冷戦の終結**が宣言されたのです。

「1789年の熱い革命が今、1989年の現実世界で起こっている……。ちょうど今から**200年前のフランス革命で王政打倒の民主主義革命が起こり**、そして今まさに世界で共産主義打倒の民主主義革命が起こっている。この周期性は偶然なのだろうか？　いや何かの循環性があるんじゃないだろうか？　なんだ？　なんなんだ歴史って！」

そう思ったのが、僕が世界史に興味を持ったきっかけでもあるのです。

社会主義国家は壮大な実験によって生まれた

その頃はテレビや新聞、学校の授業でも社会主義国家がよく取り上げられていた記憶があります。ちなみに共産主義と社会主義という言葉が出てきますね。諸説ありますが、共産主義という理想に向かう前段階が社会主義と捉えると良いかもしれません。

当時のソ連や東ドイツといった社会主義諸国は、オリンピックでもメダルをじゃんじゃん取っていた記憶があります。僕は社会主義だから強いんだと思っていました。また宇宙開発も核開発も進んでいました。それはあくまでも、18歳の僕が感じたぼんやりとしたイメージでしたが、我々とは全く構造が違う社会、もしかしたら我々の資本主義社会より一段階進んだ国々なのかもしれないと思っていました。それでいて、なぜか僕ら資本主義諸国よりも貧しく不自由な国々だと伝えられることを不思議に感じてもいました。

第一次世界大戦中の1917年に起こった**世界初の社会主義革命で、ロシアのロマノフ王朝が倒されます。そして1922年に誕生したソビエト連邦**は、今から考えればわずか70年弱でこの世からなくなりました。東西冷戦の終結の数年後にソビエト連邦は崩壊し現在のロシア連邦になったのです。

20世紀を彩る社会主義国家とは一体何だったのか？　それは**人類の壮大な実験でした。そしてその壮大な実験は、壮大な仮説により導かれたイデオロギーで始まった**のです。

社会主義は進化論から生まれた！

話は19世紀にさかのぼります。西欧諸国で市民革命と産業革命を経験した人類は、そこで新たな観念に思い至りました。

「みんなが幸せに生きるためにはどうしたらよいのか？」

個人が生きるための権利を獲得した市民革命、それにより人類は幸せに生きるために、それまで持っていなかった様々な権利を獲得しました。自分たちが本来生きるのに必要な権利は、自分たちで施政者と闘って獲得できることを学んだのです。

一方で、産業革命により様々な技術革新で新たな労働が誕生すると、人々は以前とは違う環境での長時間労働や過酷な労働を強いられるようになりました。要するに、**市民革命によって、同じ市民といっても資本家の権利は向上し、労働者の権利は悪化したのです。**このアップダウンがほぼ同時に起こることで誕生したのが資本主義社会でした。

そんな環境の中で、ドイツのユダヤ人哲学者カール・マルクスは考えたのです。

「資本家は椅子に座っているだけで肥え太り、日々長時間労働を強いられている労働者は極貧のまま。この状態はおかしい」

マルクスは思想を一歩進めます。

この状態は、人類が最終形態に進化する前の前段階なのだという仮説『資本論』を1867年に発表します。当時はチャールズ・ダーウィンにより『進化論』が発表され、生物は適者生存で進化していくという理論が知られていました。マルクス理論は、進化論を歴史に当てはめたものなのです。

では、マルクスの唱えた人類の最終形態とは何か？　それは全員が平等の社会＝共産主義。そして社会主義とは、その最終段階の共産主義に向かうための前段階状態と考えたのです。マルクスの考え方を簡単にまとめるとこうです。「歴史とは階級闘争である。資本家が労働者から『労働者の価値＝労働』を搾取するから、労働者の権利は抑圧される。やがて労働者が権力を獲得すれば、言うなれば資本家がいなくなれば、労働者の権利は平等になり、向上し、人類はより幸せな自由な段階に進化する」。

そして、**「労働者階級は、革命を通じて資本家階級から権力を奪わなければならな**

い」というこのマルクス主義が、社会主義革命を起こす根拠となったのです。

ロシアで社会主義革命が実現できたのには理由《わけ》がある

「ねばならない」というのはイデオロギー、つまり観念です。人類は文明が誕生してから様々な歴史的事件を繰り返してきました。戦争を繰り返し、思考を繰り返し……。ついにその思考から生まれた**イデオロギーで、歴史を動かす段階まで進化**してきました。

僕はこう考えます。階級闘争に基づいた歴史の進化という考え方には疑問の余地があるが、少なくとも思考実験で歴史が動いたという点では、人類は確実に進化してきたと言えるのではないか？　しかし問題は、その「思考実験で歴史を作る」という進化が、はたして正しい進化なのか？ということなのです。

この思考実験による革命が20世紀に実際に起きたのは、マルクス主義が生まれたドイツではなく、産業革命がもっとも進み当時の世界の中心だったイギリスやフランス、アメリカなど欧米諸国でもなく、辺境といわれたロシアでした。なぜでしょうか？

それは、**ロシアが市民革命前の絶対王政の状態だったから**なのです。市民革命前の段階から、二段階で一気に社会主義革命を起こしました。

正確に言うと第一次世界大戦の最中、1917年の3月に首都サンクトペテルブルクでの食糧暴動がきっかけで各地に労働者の評議会＝ソビエトが結成され、ソビエトが臨時政府を作り、ロシア帝国のロマノフ朝は滅亡しました（三月革命）。この臨時政府の段階では共和政に移行したまでです。しかし、社会主義者レーニン主導のボリシェヴィキは11月に臨時政府を倒し、ボリシェヴィキの一党独裁体制による社会主義政権を樹立したのです。わずか数カ月で市民革命と社会主義革命を成功させてしまったのでした。そういう意味では、**ロシアには打倒すべき資本家が非常に少なかったのです。労働者が政権を取ってしまえば、一気に社会主義に進むことが可能だった**のです。

欧米諸国ではそうはいきません。労働者が反乱を起こしても、資本家は弾圧するでしょう。実際フランスでは、1871年にパリ・コミューンという世界初の労働者政府が2カ月だけできたことがありましたが、長続きしませんでした。

また資本家側にも、労働環境の改善に努め労働者の地位向上のために努力しようとする勢力が生まれました。それが、現代まで続く社会民主主義の考え方です。

1922年に世界初の実験国家ソビエト社会主義共和国連邦が誕生しました。ソビエトという会議が最高権力をにぎり、この会議で決まった計画が実行される計画経済が始まります。

第一次世界大戦後の1929年に世界恐慌が起こり、各国の経済は大きな打撃を受けました。それがドイツではナチスの台頭を生むのですが、ソ連では恐慌が起こりませんでした。なにせ計画経済ですから、市場経済のような好況不況のブレがないわけです。ただし、うまく計画していたらという条件付きの話ではありますが。

その後、レーニンの後を継いだスターリンにより、社会主義国家は強化されました。

階級のない人類平等を目指すと、国家間に階級が作られるという矛盾

共産主義というイデオロギーは、ソ連によって世界に拡散されました。

「世界の皆さん、あなたたちも人類の最終形態まで一緒に進化しましょう！」

こう発信するためにコミンテルンという世界組織が作られ、その考えに共鳴した人々によって各国に共産党が作られました。

特に共産党が躍進したのが、清帝国を打倒したばかりの中国。列強各国の支配に苦しんでいた**中国でも、資本家は弱かった**のです。毛沢東《もうたくとう》のもと農民と労働者が共産党を結成し、国民党からの政権奪取を目指します。日本の支配が強まると、共産党は共産革命を一旦棚上げにして国民党と共闘して日本の支配と戦いました。これを国共合作と言います。

やがてヨーロッパでドイツが降伏し、アジアで日本が降伏して第二次世界大戦が終わると、ソ連の指導のもとでそのイデオロギーに共鳴した人々により、社会主義国家

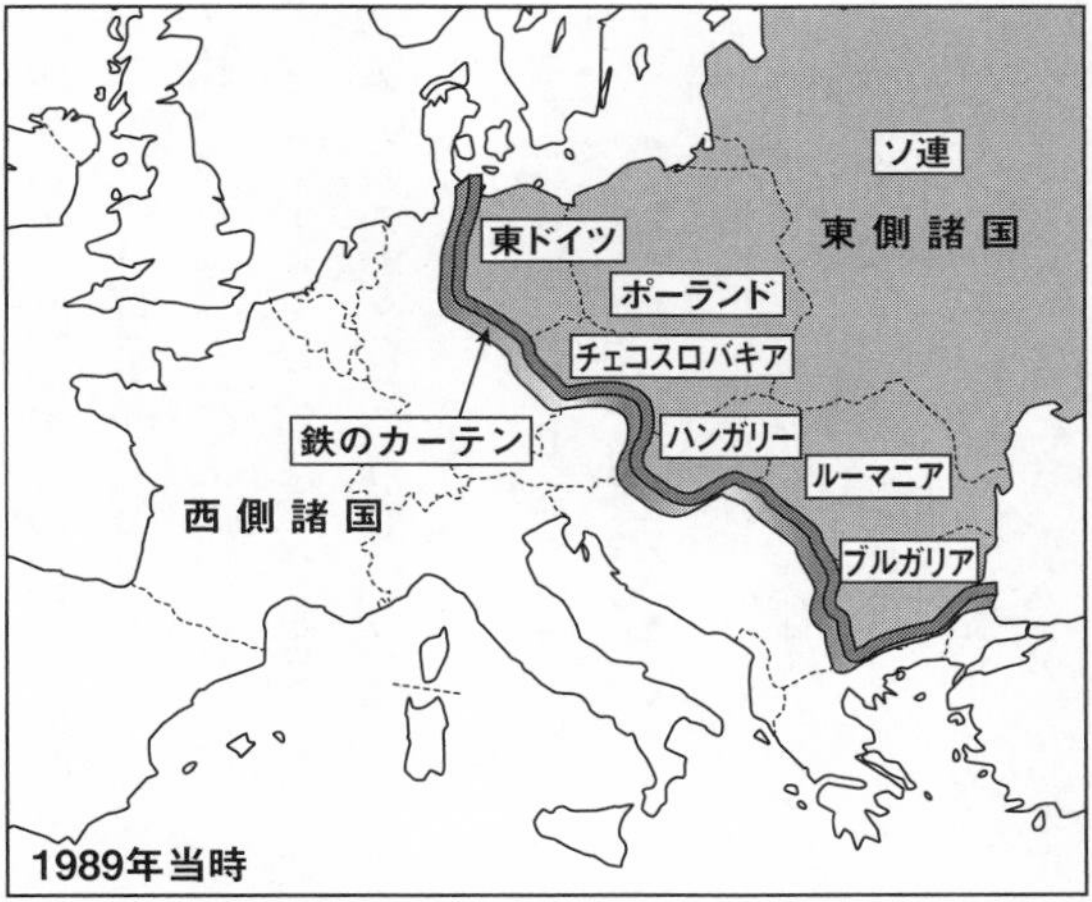

は世界中で作られます。ドイツのベルリンまで侵攻したソ連は、そのまま居座り、東ドイツ、ポーランド、ハンガリー、チェコスロヴァキア、ルーマニア、ブルガリアの東欧諸国は社会主義国家となりました。それらの国々はソ連のコントロール下に置かれ、衛星国家となったのです。**労働者が団結すると自由になるというイデオロギーのもと、結局は上意下達の組織に組み込まれました。**「ソ連のソビエト（会議）↓ソ連の国民↓衛星国家のソビエト↓衛星国家の国民」という階級付け。

結局は人類の平等をうたいながら、全体主義的な新たな階級が国家間でできあがっただけだったのです。

西欧資本主義国家との境目は鉄のカーテンと呼ばれ、本格的な東西冷戦が始まります。中国では日本が退いた後に、国民党と共産党が戦う国共内戦が行われ、共産党が勝利。国民党は台湾に逃げました。

そして1949年に、共産党一党独裁の中華人民共和国が建国されます。中国と台湾の微妙な関係はこうして今に続いています。

イデオロギーでは歴史は動かない

第二次世界大戦後に世界各地の旧植民地で独立の気運が高まる中、その混乱に乗じて各地で社会主義国家が建国されます。カリブ海ではカストロ主導でキューバが社会主義国家になります。また建国まで行かなくても、各国の共産党組織は、ソ連の指導のもと共産ゲリラとなって、アメリカなど欧米諸国が支援する資本主義体制と対峙するようになります。そこで紛争や内戦が起こることもあり、その最大のものが朝鮮戦

争とベトナム戦争なのです。これらはアメリカVSソ連の代理戦争の様相を呈しました。そしてそれはソ連自身が、

「計画経済は失敗だった」

と自覚する1989年まで続きます。

結局、人類は計画通りに生きることはできないのでしょう。マルクスが考えたような計画通りに歴史が推移することなど、なかったのでした。人類はかなりの代償を払ってそれに気づきました。それが20世紀だったのです。

整理してみましょう。なぜ社会主義革命はロシアで起こったのでしょうか？　それはロシアの気風にあるのではないでしょうか？　共産党が政治権力とイデオロギーを独占するのは、共産主義的というよりもむしろ、中世の東ローマ帝国からロシア帝国に継承された権威主義的傾向であり、まさに東ローマ的・ツァーリ（皇帝）的なのです。

それは、中国にも言えます。社会主義の全体主義的傾向は、中国の気風＝皇帝専制政治に非常に似通っているのです。辛亥革命で清から中華民国に代わり、国共内戦で中華人民共和国に代わったのは、市民革命→社会主義革命なのではなく、中国で続いてきた易姓革命なのかもしれません。

結局のところ、**イデオロギーを標榜して起こった社会主義革命は、むしろその土地に根づく最適な革命手段として、たまたま採用され成功しただけ**なのかもしれません。

ではなぜ、ソ連が崩壊した後も中国は社会主義国家でいられるのか？　それは中国が、当初のイデオロギーを中華思想に置き換え、さらに朱子学で色づけしてカスタマイズしたからなのです。

言い換えれば、**社会主義をイデオロギーのまま進めようとした国はその実験の途上で崩壊し、社会主義をうまく資本主義とミックスできた国は残っている**とも言えます。冒頭で述べた東欧ビロード革命が１９８９年に起きた時、僕は矛盾を感じました。「共産主義は人類の最終進化段階のはずなのに、なぜ人々はその前段階の民主主義に戻そうと革命を起こしているのか？」

結局、仮説はあくまで仮説だったのです。社会主義国家とはイデオロギーが絶対的な王様であるという意味で、絶対王政の亜流だったのかもしれません。イデオロギーでは歴史は起こるけれども、歴史は動かないのです。

僕らは、人類が膨大な犠牲を払ってそのことに気づいた後の歴史を生きているのです。イデオロギー亡き後の世界はこれからどうなっていくのでしょうか？

第22講

20世紀／全世界

お金の話

お金が、人生の持ち時間、
就職先まで決めてしまう。

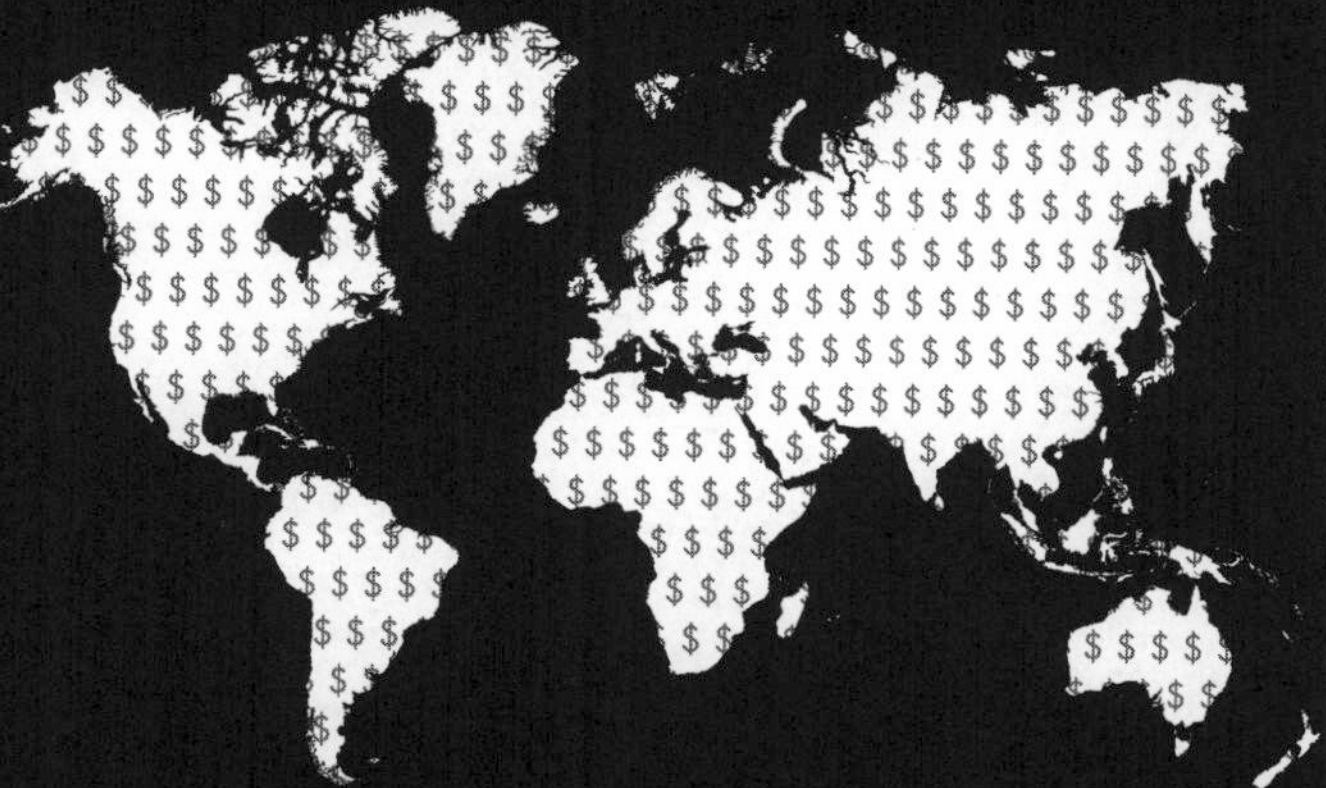

モノの価値を決める物差しとしてお金は誕生した

ここまであまり触れてこなかったのがお金、すなわち富の話です。世界史のほとんどは戦争であり、その戦争のほとんどは富の奪い合いから始まっています。そもそも富とは何なのでしょうか？

その昔、話はシンプルでした。今から約１万年前に農耕が始まった頃、ある人が自分が作った食物（例えばムギ）を自分の集落の人々に配ったとします。でも毎回ムギだけだと飽きちゃいますよね。一方隣の集落には違う食物（例えばリンゴ）がある。

「ならば交換するのはどうですか？」

こうして交易が始まったのです。すると交換する時に「このムギどれくらいで、リンゴ何個分になりますか？」という話になる。その集落はさらに別の集落とまた違う獲物（例えばシャケ）を交換するかもしれません。ならばいっそのこと**モノの価値を決めちゃう基準＝単位**を作っちゃった方が早いですよね？　ということを、きっと誰かが思いついたのです。**それがお金の始まりです。**

余談ですが、アメリカのドル（dollar）という単位の由来は、16世紀の神聖ローマ帝国のボヘミアで発行されたターラー（Thaler）銀貨という言葉が使われたからだそうです。

日本の円も、18世紀に中国に新大陸から渡った銀で作られた銀円という言葉が使われるようになって明治政府が決めた名称だそうで、どちらも外国発祥なのが面白いですね。

お金は、だいたい4500年前に始まったと言われています。人類の歴史を1万年と仮定すると、むしろお金がなかった時代の方が5500年と長かったことになります。

その当時お金になったのは、誰もが貴重と認めるモノでした。ムギ、コメ、トウモロコシなどの穀物だったり、ウシ、ブタ、トナカイなどの動物だったり、毛皮だったり、貝殻だったり、珍しい石だったり……それがやがて貴金属を使うようになりました。

でも貴重すぎると誰にも手の届かないものになり、流通しません。こうしてお金は、銅・銀・金《きん》に集約されていったのです。

こうして**19世紀末には、世界は金が価値の基準単位になる金本位制に統一**されます。

日本の江戸時代は、基本的に金銀銅の三貨制でした。江戸を中心とする東日本では金が流通し、大坂中心の西日本では銀が主に流通していました。でもその金と銀の交換レートが世界の基準レートとは異なっていたため、幕末に黒船がやってきて通商が始まると、その価値の違いから日本の富の流出と混乱が起こり、明治維新の要因になるのです。

絵画という形にすれば大金が手軽に運べる

お金が流通したことで人類は何を手に入れたのでしょうか？　それは時間です。それまで自分が食べるものは、自分たちで獲得しなければなりませんでした。自分たちだけの力で獲得できるものは限られます。しかし貨幣経済が誕生すれば、他者から欲しいもの、必要なものをなんでも買ってくればいいのです。その分、自分の時間を有効に使えます。

つまり富とは、お金をたくさん持っていることであり、**お金をたくさん持っていることは、時間をたくさん所有できることを意味する**のです。

人は必ず死にます。つまり、使える時間は限られています。その限られた人生で、自分の時間を増やしたいという要求が起こるのは当然です。その根源的な要求が富への要求、すなわちお金への要求なのです。そう考えると、お金のために死ぬというのが、なんと矛盾した行動なのか、わかると思います。

そして、この**お金の価値は作ることができる**のです。例えば画家が絵を描いてもその材料費はたかがしれています。しかしその絵に価値が加わると、元の何百倍、何千倍、何万倍の値がつくことがあります。

これは有名な画廊のオーナーに聞いた話ですが、例えば皆さんが10億円持って移動することを想像してください。10億円分の紙幣を一人で運ぶのは困難です。しかし絵画なら、木枠から外してクルクル巻き、カバンに入れれば飛行機の手荷物で運ぶことだって可能なわけです。ルネサンス期イタリアのレオナルド・ダ・ヴィンチが描いた

『モナ＝リザ』は今、パリのルーヴル美術館にあります。なぜなのか？　それは作者のダ・ヴィンチが絵をフランス王フランソワ1世のもとに運んだからです。つまり**絵画は移動可能な価値**なのです。「絵はモバイルである」とその画廊のオーナーはおっしゃっていました。

価値の算定はアイドルの人気投票と同じ

価値を決める方法は二つあります。

- **みんなが欲しいと思うか？**
- **これはみんなが欲しいものだと、誰かが決めるか？**

この二つ。前者はＡＫＢの総選挙と同じですね。一番人気の人がセンターに立ちます。これは、多くの人が『モナ＝リザ』を見にパリを訪れることと基本的には同じ意味です。ちなみに世界で一番高値とされる絵画は先に例に挙げた『モナ＝リザ』だと言われています。

『モナ＝リザ』の場合は、誰か権威者が一番高いと決めたからではなく、『モナ＝リザ』がルーヴルにあるだけで、パリやフランスへどれだけの経済効果を発生させているかという経済規模で算定されるからです。集客や集金という価値を生むものが、それだけの金銭的価値を生むのです。

そしてもう一つの方法は「誰かが決める」。ある権威者が「これは価値がある！」と言ってのけることです。すると、そこに価値が生まれます。

そしてその一番の代表が貨幣なのです。この紙切れは、「原材料的にはただの紙切れだけども、これから1万円分の価値がある」と決めよう！と権威者が決めるのです。

……しかし、これには盲点があります。この権威者が決めたことを、誰かが疑いだしたら？　人気投票で、権威者自身の人気がなくなったら？　そうです、その瞬間に価値は一気になくなるのです。

リンゴを買う時に「そのお金にそれだけの価値があるとは思えないから、2倍くれ」と売主に言われて、いや、それは高すぎるからヤメるって場合もあるでしょうし、それでも欲しかったら買い手は2倍払うでしょう。その2倍払うことが物価のインフレなのです。

ある権威者が決めても、結局はみんなが欲しいと思うかどうかにかかっているのです。

アートも経済も、結局全てがアイドルの人気投票と仕組みは同じ。その商品がイケてるか？　イケてないか？　景気とはよく言ったもので、まさに人々の期待感＝気分の問題なのです。

就職活動とは自分の投資先を決める行動である

ある権威者がある価値を作り、その権威があるきっかけで失墜すると、人気がなくなり、価値までも無くなり、その混乱で戦争、恐慌、革命が行われる。そしてまた新しい価値が作られ、以下同じような運命をたどっていく……。歴史とは、こんな流れの繰り返しなのです。そして、**新たなものに新しい価値が生まれると信じて、価値を見出すために行われるのが投資**です。15世紀のコロンブスの大航海は投資であり、19世紀の植民地開拓も発明品も投資であり、現代の宇宙開発だって投資なのです。新たな価値を生み出すために、未来に向けて自分たちの価値を投資するのが、人生です。

価値があるものというのは、お金だったり、アートだったり、発明だったり、人間の権利だったりします。18世紀の奴隷制度が存在していた時代、奴隷になった人間は、人間ではなくて商品でした。奴隷の労働力が富として計算され、売買されたからなのです。

19世紀のマルクスが唱えた階級闘争も、「労働者の労働の価値を、価値のある分だけ認めろ!」という闘争でした。

そう考えると、今現在の僕たちの労働だって、奴隷制度やマルクスの頃の労働者と本質的にはなんら変わっていないことに気付きませんか? 自分が働いた対価にお金を貰う、自分の労働力が価値なのです。**就職活動とはつまり、自分の人生の時間をこれからどの業種に投資するか?という投資活動。**生涯賃金が約2億円だとすれば、未来の2億円の投資先を決めるのが就職活動なのです。

お金の価値も人気投票で決まる

様々なモノの価値は、お金が発明されてから、ほぼお金で算定されてきました。なので、お金の奪い合いが、戦争を生むのです。

第一次世界大戦の直接の原因は、19世紀末から続く好景気が原因でした。好景気で伸びたドイツの国力が、さらなる投資先を望み、それはイギリスやフランスなど既得権益連合から奪うしかなかったからなのです。

第二次世界大戦の直接の原因はこれと逆で、1929年に始まる世界恐慌が原因でした。アメリカから始まった世界恐慌は、言うなれば、調子よくじゃんじゃん上り詰めたら、なんか怖くなっちゃって、誰かが引き返したら、急にみんなが一斉に引き返したことで始まりました。そして、各国は自分たちの既得権益（植民地、市場、資源）だけを信じるようになり、その経済圏の中に閉じこもろうとし（ブロック経済）、その既得権益が少ないドイツと日本が暴れたものでした。

戦後、二つの世界大戦で世界の富が集まり、資本主義諸国のリーダーになったアメリカは、自分たちのお金をさらに権威付けます。金本位制からドルが金と唯一交換できる通貨になるという、金・ドル体制（ブレトン＝ウッズ体制）です。

敗戦国日本は1ドル＝360円と決められました。円は丸だから360度ということで、360でいいだろうと安易に決められたらしいです……。それくらい円の価値はなくなっていた、つまり日本のお金の信用はなかったのです。

ただ、アメリカも同じ運命をたどりました。アメリカの信用が続く限りは大丈夫ですが、一度信用が失墜するとみんながドルを金《きん》に交換しようとします。

朝鮮戦争による特需景気を契機として日本の産業が復活すると、日本の信用が上がり、1ドル＝360円というレートはアメリカにとって不利に働く局面も出てきました。

また、社会主義諸国との東西冷戦で、軍事費がかさみ、ベトナム戦争（1965〜1975年）の泥沼化で、アメリカ経済の収支が悪化し信用が失墜しました。

そして1971年、ニクソン大統領は金とドルの交換を停止しました。こうして世界は変動相場制になったのです。

どうせ信用が伸張したり失墜するならば、みんなの人気投票に応じて、為替レートも決めちゃおう！という話です。

富の価値の基準であるお金の価値そのものも、人気で決めちゃおうというのが今の経済なのです。

第23講

20世紀、21世紀／全世界

情報の話

現在は、
農業革命、産業革命に続く
「情報革命」が進行中である。

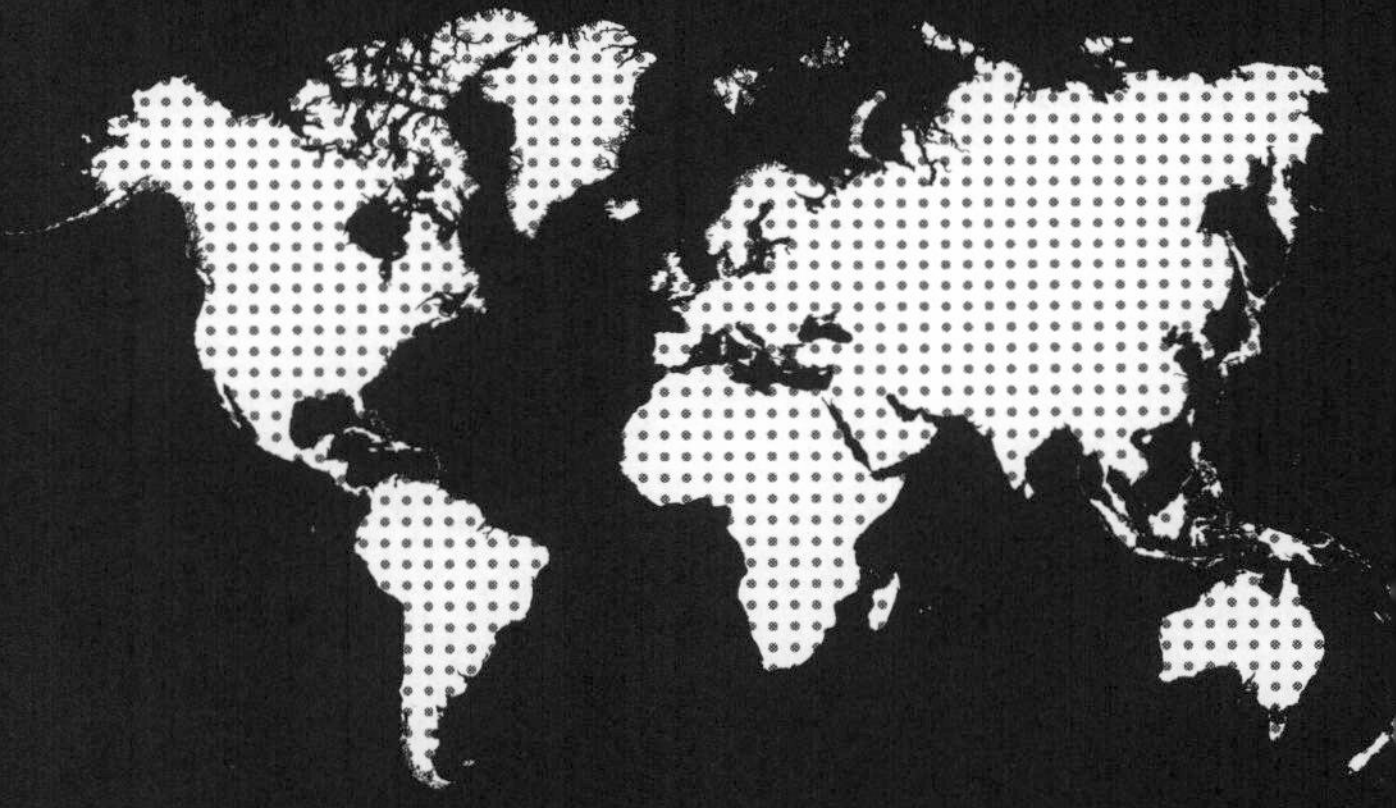

お金とは信用を作るコミュニケーション

前講で、お金はモノの価値の単位であるという話をしました。お金の価値は人気の有無で決まると。とするならば、その**価値を表すためには貨幣＝モノなどなくてもいいはず。価値を表す情報だけあればすむ話ではないでしょうか？**　こうして現代社会は、人類にとって情報こそが価値であり、また情報がさらなる価値を生むようになりました。

その前兆は昔からありました。例えば先物取引《さきものとりひき》です。江戸時代に大坂で始まったコメの先物取引では、当時流通していた貨幣の何倍もの取引が行われていました。将来のコメの買取権を定めた証書という情報が取り引きされれば、実際の貨幣が手渡しされる必要などないからです。

取引が成立するのには相互に信用が必要です。相手に渡した価値が相手にも信用され取引が行われる。そして対価をつけて戻ってくるのが取引です。

お金が発明される以前、「自分が作った食物（例えばムギ）を周りの人に配る」ということを前講に書きました。これは裏を返せば、「周りの信用できる人（家族・血縁者・同族）には、お金の戻りがなくても配ったりする」ということを意味します。

これは極めて重要なことです。例えば友人に「缶ジュース奢《おご》って！」と言われれば、ほとんどの人は奢るでしょう。缶ジュースを奢ったことへの対価など求めないと思います。今度は自分が奢られるかもしれないし、奢る・奢られるを何回もやってきた間柄だからこそ、友人同士とも言えるわけです。むしろ信用を醸造するために、プレゼントをしたりお中元、お歳暮などをしたりします。

逆に、究極の不信感の回避が自動販売機です。その価値分の金額を入れれば、その分の缶ジュースを渡すというシステム。その信用を測る尺度としてお金を交換に使うのです。つまり100円分の価値＝100円分の信用なのです。「信用を金で買う」とか言いますが、むしろお金の価値とは信用の価値だとも言えるでしょう。

そんなお話をしますと「友情を金で買うのか！」とか怒られそうですが、逆に言えばしっかりした友情があればその間にお金は必要ないのかもしれません。世界の全員が信用できればお金などいらないのかもしれません。お金とは信用を作るコミュニケーションそのものなんだと言えるのです。

信用とコミュニケーションの手段であるお金の価値を最大化させ、そのお金を大量に手に入れるために大量に資源を調達し、商品を大量に生産して、マスコミを使って宣伝し、大量に消費させたのが、20世紀初頭にアメリカで発達した資本主義経済でした。

社会主義経済という実験も行われましたが、結局失敗したのは先に述べた通りです。

現在、肥大した大量消費社会の中で、資本主義の論理を推し進めることが経済的に正しいこととして世界中で各国が競い合っています。しかしそれも、大転換の時代がやってきました。情報革命です。

エジソンとスティーブ・ジョブズはどちらがすごいのか？

現代は、現物のお金ではなく、お金の価値という情報が取引される時代です。お金＝コミュニケーションであるならば、新たなコミュニケーションが価値になり得ます。その到来が、**情報革命＝IT革命**なのです。コンピューターの誕生とインターネットの登場により、1990年代に急速に普及しました。ITとは情報技術「Information Technology」の略ですから、この革命を19世紀から続く産業革命の一端だと思っている方も多いでしょうが、実は全然違います。

アルビン・トフラーという学者が1980年に『第三の波』という本を出して日本でも話題になりました。人類の歴史には三つの波があり、第一の波が、先史《せんし》時代の農業革命。第二の波が、18世紀の産業革命。そして第三の波が、今進行中の情報革命です。僕はこれを知った高校生の時、正直なところこう思いました。

「第一の農業、第二の工業ってのが革命ってのはわかるけど、第三が情報って、なんかインパクトが弱いなあ。『今は革命時代だって言いたい症候群』なんじゃないの？」

と懐疑的でした。

でもそれは間違っていたのです。あまりにも概念を変えた革命なので80年代の旧体制に属していた僕には、この情報革命の真意がその時はわからなかったのでした。90年代にインターネットに実際に触れてみて初めてわかったのです。

エジソンとスティーブ・ジョブズとどっちがすごい発明家？という議論がよくありますが、情報革命を僕たちの片手にもたらしたｉＰｈｏｎｅは新しい携帯電話という技術革新の話ではないのです。**電話という新たな技術を発明したエジソンではなくて、情報革命という新たな概念を発明したスティーブ・ジョブズ。そもそも比べる尺度が違う話**なのです。

情報があればモノを持たなくてもよくなった

情報革命は、人類の歴史に圧倒的な概念の進化をもたらす革命なのです。

今まではモノに価値がありました。なので、そのモノを所有するという概念が最重要でした。でもこれからは、モノが存在する本来の意味＝情報に価値があるのです。

例えば、音楽を聴く手段としてレコードやCDがあります。僕たちは音楽を自由に聴くためには、そのモノを手に入れる必要があったのです。しかし音楽そのものを聴くことさえできれば、モノを所有する必要が薄れます。インターネット上のダウンロードやストリーミングで良くなりました。その音楽を聴く権利を持つためには、それまではモノを所有する必要があったのですが、これからはその権利を表す情報を所有すれば良くなったのです。とはいえ、それでも大好きなアーティストのモノ自体を欲しいという所有欲はなくならないでしょう。「その欲がある人＝本当に好きな人」だけが所有すればよいという経済に変化します。

20世紀が大量生産・大量広告・大量消費というマスの時代であったことに対して、情報革命以後の**21世紀の現代、そしてこれから来る未来は、適量生産・適量宣伝・適量消費という全く新しい個人の経済に向かう**ということを意味します。

今までは情報を所有するために物理的なモノが必要でした。言葉なら紙。音楽ならCD。飛行機に乗る権利なら搭乗券。今やそれらは、**物理的に所有する必要がない**のです。クラウドという、中央に情報を集めて、そのクラウドにインターネット上でアクセスする鍵＝パスワードだけ持っていればよくなったのです。

インターネットがお金の立場をも脅かす存在に！

インターネットとはコミュニケーションツールでもあります。世界中の誰とでも、たとえ会ったことがない人とでもコミュニケーションができます。そしてインターネットを使うと自分の価値＝情報を伝えることが簡単にでき、それはお金以外の信用を生むことができます。つまり**インターネットは、お金に代わる価値とコミュニケーションのツール**です。

現在ではインターネット上でもお金が使われ、インターネット広告などでは、アクセス数・ページビュー数などがお金に換算されています。でもそれももしかしたら、お金という現在権威がある単位が便宜上使われているだけなのかもしれません。ビットコインのように、誰にも権威づけされない新たな富の概念も生まれています。

情報は量を集めても意味はない。真偽を見極める力こそ大事

情報革命により人間の生き方も一変します。情報革命とは言うなれば、情報を手に入れる困難さが限りなく簡単になったということです。以前ならその情報を手に入れるための技術が求められました。そしてそれを知ってる・知らないという尺度が、そ

の人の価値の判断基準でした。知っていること、すなわち**知識の量が求められた**のです。

しかし今は、知らなかったらパソコンなどで検索すればよくなりました。こんなにも知識を手に入れることが簡単になったのならば、我々はむしろ、その手に入れた知識が本当に正しいかどうかを自分で判断できる知性が求められているのです。

20世紀の大量生産・大量広告・大量消費というマス＝大衆の時代というのは、「よくわからない人にも売っちゃえ！」という話です。しかしそれは消費者の知性をバカにした行為です。21世紀は、適量生産・適量宣伝・適量消費という、知性を持った個人が欲しいモノだけ欲しい分を手に入れる時代にどんどん変わっていくのです。

そして、同じ尺度の知性や価値観や感性を持った個人同士が、新たな共同体＝トライブを形成します。トライブという単語は、同じ血統だったり、同じ族長に従うある一定の範囲に住む、種族・部族という意味です。

情報革命以前には、現実に同じ血統や同じ範囲に住んでいないと、同じ知性・価値観・感性を共有することはできませんでした。しかしインターネットは、その距離を一気になくしました。**同じ情報を共有すれば、違う場所に存在しようが、同じ知性・価値観・感性でトライブを形成する可能性がある**のです。そのトライブが形成された時、今までの国家、民族、宗教、社会、企業等の組織という概念が一変する可能性があります。

知識から知性の時代へ。それが進めば、特に**今までの国家のあり方も確実に変わります**。個人が歴史を作る時代になるのです。

今までは個人といっても天才や権力者という、ごく少数の個人が登場するのが世界史でした。どの国家とどの国家が争ったという戦争が歴史でした。

しかしこれからは、個人という存在の、それぞれの知性がそれぞれの局面局面を判断する世界史になるのです。そんな時代に戦争、領土・国民・政府・憲法・制度等の既存の概念を、従来の考え方に照らし合わせて考えても無意味なのかもしれません。

21世紀はそんな新たな可能性のある個人の世界史が生み出されていくのです。それがユートピア（理想郷）かディストピア（反理想郷）になるかは、それこそ僕たち個人の知性にかかっているのです。

第24講

21世紀～／全世界

未来の話

未来を考えると、
現代・過去までも
より深く理解できる。

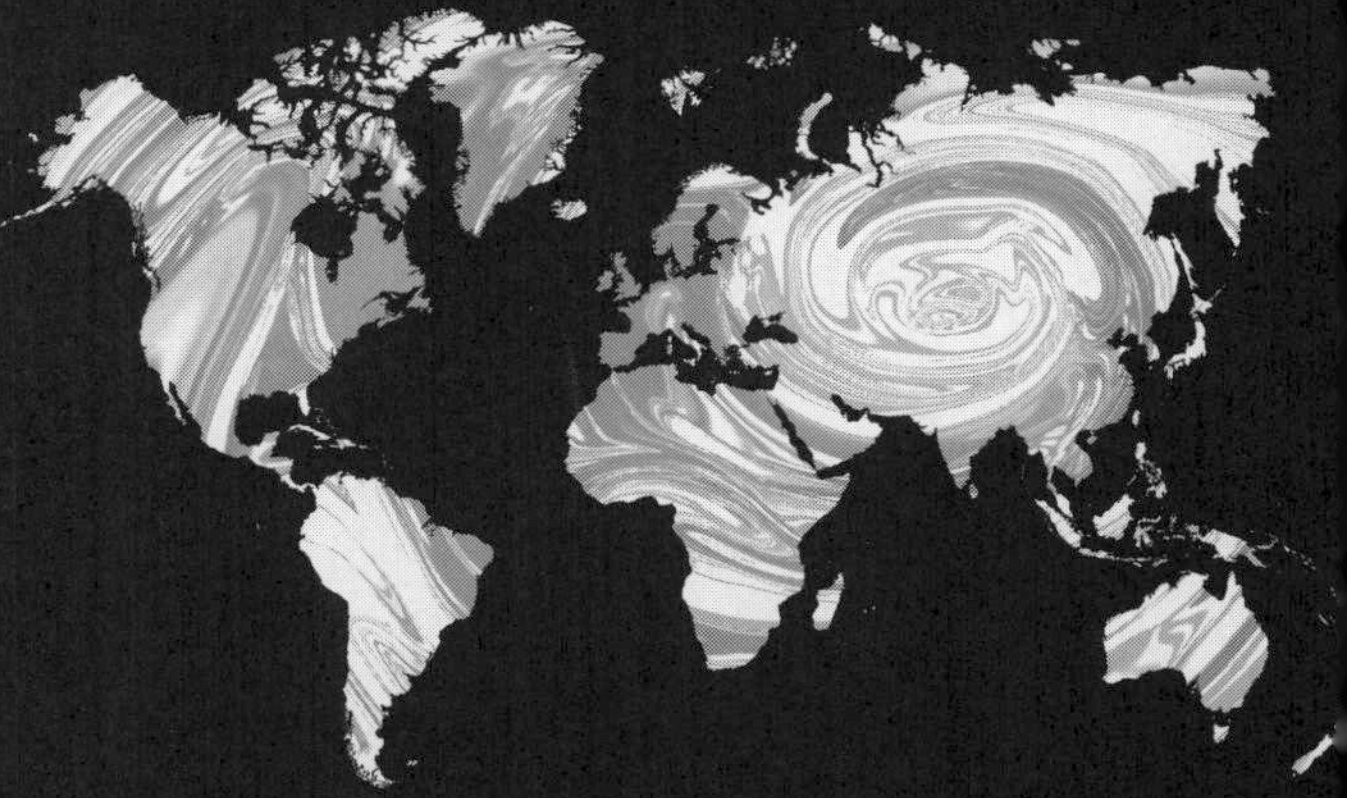

これまでの「23の【キーワード】」で未来の歴史を予測する

世界史の講義も、今僕たちが住む現代にまでやってきました。

「現代史を学校で教えるのは難しい」とよく言われます。昨日や今日に起きた出来事、そして明日に、未来に起こるであろう歴史につながる話を書かなければならないので、教科書に記述するには時間的にあまりに近すぎて不可能なのもその一因でしょう。

また、それでも記述しようとすると、一面的・主観的になりがちです。よく教科書の現代史の記述をめぐって論争になりますが、教科書を批判する側の人も主観的になっています。主観と主観がぶつかってしまうのが、現代史の難しいところです。ある事件がある時にある理由で起こっても、それが未来にどのような影響を与えたかは、時間が経過しないと評価しにくいのです。

現代社会は、過去の歴史から影響を受けて成立しています。例えば、満州事変の契機となった南満州鉄道の爆破事件（柳条湖事件。1931年）は、企てた当時の人々にとっては、中国を実効支配するために起こすべき理由があったのでしょう。でも、今それを歴史として知る僕たちには、軍部の愚策だったとしか見えません。この爆破事件は、太平洋戦争終結までの長い中国との泥沼の戦いにハマった15年戦争を起こした原因であるからです。

ということは、**現代の歴史を記述するということは、未来について考える話をしなければならない**わけです。歴史で未来を語る……、なんて難しく、なんて予測不可能な、なんてバラエティに富んだ話でしょう！　今まで、人類の世界史を23のテーマに分けて見てきました。ですので、この講はそんな世界史の未来を、その23のテーマで見ていこうと思います。

【宗教】と【イデオロギー】の対立で原理主義という【思想】が浮上する

1989年に、日系アメリカ人の歴史学者フランシス・フクヤマは『歴史の終わり』を発表しました。簡単に言えば、「社会主義国家が滅んで冷戦が終わり、人類社会の完成形の自由民主主義が勝利すれば、あとはただの出来事の繰り返しになる。本来の意味での歴史は起こらないのだ」と。

その後、本人も交えて様々な議論が沸きましたが、『歴史の終わり』の内容が正しかったかどうかは現在を生きる僕たちにはもはや明らかです。2001年に、ニューヨークの世界貿易センタービルに旅客機が突っ込むアメリカ同時多発テロ事件が起こりました。社会主義との戦いは終わっても、テロとの戦いが始まりました。「歴史は終わらなかった」というのが結論です。むしろ**【イデオロギー】と【宗教】間の新たな戦いが始まった**のです。

自由民主主義というイデオロギーは、資本主義を補完しながら推し進め、世界は全てアメリカ化するかに見えました。しかしそれは、熾烈な競争社会を生み、世界の貧富の格差を拡大させたのです。貧しき側は、**自分たちの拠り所の【思想】に厳格に戻ろうとします。それが原理主義**です。これは、イスラム世界だけの話でなく、ヨーロッパ、日本を含めアジア、アメリカの各国内でも起きています。貧富の差が拡大し、弱者側の右傾化と言われる外国人排斥や難民問題、民族対立などの民族主義的動きが顕著になっています。この原理主義の動きは、未来にも確実に強まっていきます。

【産業】による環境破壊で、資源、食糧、【水】の争奪戦が起こる

地球の環境変化が進行しています。**【産業】の発展に伴う人類による二酸化炭素排出の激増で地球が温暖化し、気候の激化や海面上昇などを伴っています**。一方で、再び氷河期に入ったとも言われています。かつて人類は、地球の寒冷化や温暖化、はたまた乾燥化・砂漠化によって大移動を行いました。この現象は世界史の中で断続的に行われていますが、未来はそれが活発になる可能性があります。今まで住めたところが住めなくなり、新たな場所に居住地が生まれる可能性もあるからです。海面上昇や乾燥化、はたまた内戦等で難民化することにより、ある一国の人々が丸々移住するということも行われるかもしれません。

そして、**気温の変化で一番影響を受ける産業が農業**です。例えば、近年の温暖化で

日本で起きている現象ですと、もともと熱帯性植物だったコメが、今や北海道が一大産地になっています。リンゴやそばの生産地はだいぶ北に移動していて、ゆくゆくは本州での生産が厳しくなるとも言われています。それに対応するため、品種改良がますます進むでしょう。

人の移動や産業構造の変化は、各国の勢力圏の変化を意味し、**資源争奪戦や食糧獲得戦が激化すると予想されます。特に【水】の確保は、今後も重要**です。

未来の【国家】は【帝国】に包囲される。その主な原因は【中華】と【商人】にあり

19世紀の市民革命以降、人類はそれぞれの地域で国民国家にまとまって、【国家】を形成することがベストな世界だという思想で進んできました。世界は、国民国家が主導してきたのです。しかし、その枠組みが不安定になってきています。

それは、二つの動きに見られます。一つは、**中華帝国の復活**。中国は世界有数の人口を有し、経済も成長してきて世界最大規模とも言われています。中国内部の権力闘

争や地域紛争等で自滅しない限り、未来にはアメリカと世界を二分する力を持つでしょう。

もう一つは、**イスラム帝国の復活。**イスラム諸国はオイルマネーが担う豊富な資金力を持ち、イスラム教徒は将来的に世界最多数になると言われています。さらに、イスラム原理主義の台頭が伴って進む「IS（イスラム国）」では、カリフ制国家の復活を自称しています。仮に「IS」が壊滅されても、この動きは今後活発化すると予想されます（注：イスラム国はシリア、イラクでの支配は崩壊したものの、アフリカのサハラ地域などでのテロ活動が活発化しています）。

まさに、**近代になって停滞していた【中華】と【商人】の宗教イスラム教が、再び世界の主軸を担おうとしている**のです。これらは、**新たな【帝国】的な動き**です。

【分割】により【文明】間の衝突が起きる。
【征服】の野望も起き、【戦争】に突入することも

世界は今後、アメリカ、中国、ロシア、EU、イスラムという新たな帝国を主軸

に、世界が【分割】されていくのかもしれません。これらの新たな帝国が、世界を主導していくことは間違いないでしょう。これまでの国民国家は国民というナショナリズムの概念で形成されていましたが、**帝国は【文明】という枠組みで形成**されます。**帝国には、膨張主義的な側面があります。【征服】を望む傾向があり、**それが領土的野心につながることもあります。中国の南シナ海での人工島建設などには、その兆候が見られます。**その膨張主義的野望同士がぶつかると、新たな【戦争】が起きてしまいます。**

【民族】という思想で【統合】が進む中、【周縁】の日本はどんな選択をするか?

帝国の中では、【民族】というナショナリズムで、より細分化された集合帯に【統合】されるでしょう。

例えば、近年活発化しているイギリス内でのスコットランド独立運動や、スペイン内でのカタルーニャの分離運動などに見られます。それまで国民国家内で抑止されていた地方レベルでの独立の気運が、「どうせEUという大きな枠組みがあるのなら、その中で自分たちが自治しやすい規模でまとまればよいのではないか？」という考えにより、高まっているのです。実際に、チェコスロヴァキアは東西冷戦終了後、チェコとスロヴァキアに分かれました。また2020年にはイギリスはEUを離脱しました。

これまでの国民国家というある種中途半端な大きさではなく、よりまとまった民族という一単位の上に、かなり大きな帝国というさらなる一単位が囲む、二重体制を作る傾向が見られるのです。

この際、**帝国の【周縁】にある従来の国民国家という一重の国は、かなり不安定な体制**となってしまいます。そこで、様々な地域の国民国家で、どういう未来の選択をするかが問われます。多民族国家インドも、隣国パキスタンのイスラム帝国化に伴い、帝国化する可能性が十分にあります。ASEANを作る東南アジアの国々も、より強固にまとまるかもしれません。

そして、まさにその**未来の選択で揺れているのが、日本の今置かれている状況**なのです。近年の日中関係の緊張化や日米安保条約改正に、それが如実に表れているのではないでしょうか。日本はかなり大きな国民国家で、均一で統制がとれた市場規模があり、経済大国として成立していました。それゆえ、上部構造の帝国という枠組みを持っていません。

そのため今、未来の日本はどの帝国内に内包されるか？（されたいか？）という選択を迫られているのです。今までのアメリカ追従路線をより強化して、アメリカ帝国の中に完全に入るという選択は、日米安保条約強化という道につながります。一方で南北朝鮮とともに、中華帝国が形作る新たな東アジア圏の枠組みに入るという可能性だってあるかもしれません。はたまた、戦前目指した日本主導の大東亜共栄圏という概念の再興だって、実現性はかなり低いですが、それを目論む人物が現れる可能性だって十分考えられるのです。

【理想】と【革命】の未来では、新たな【約束】が必要となる

今までは人類の【理想】を、環境や社会に投げかけ様々な【革命】が起きました。

しかし未来にはその理想を、人そのものの身体的進化に投じることができるかもしれません。

遺伝情報であるヒトゲノムの解析が進んで、ゲノム編集ができるようになりました。遺伝子を見れば、その人がどんな病気になりやすいか事前に判断して、予防することが今や可能です。デザイナーベイビーという、生まれる前の受精卵の段階でゲノム編集して親が望む容姿・能力を備えた子を産み出すことも可能になります。それだけでなく、ある特殊な能力を持った改造人間、例えば、葉緑体を体内に持つ光合成ができる人間等を作り出すことだって、可能かもしれません。また、ES細胞やiPS細胞を使えば、自分の体の部位を複製して、自分の体に移植し直すことが可能です。病気に対しては、今まで手術と投薬くらいしか対処法がなかったのですが、これからは交換という新たな治療方法が飛躍的発展を遂げ、寿命が大幅に伸びる可能性が大きいです。一説では200歳くらいまで生きられるのではないか！と言われています。

このように**情報革命に続き、人体革命が起こる可能性がある**のです。それも、ほんの数十年の近未来にです。その場合、既存の倫理観・法律・慣習で対応できるのかが、かなり大きな懸念事項です。**新たな【約束】を、人類は作り出す必要が生じるで**しょう。

【情報】と【発見】が光の射す未来を作る

こうして未来を述べていくと、世界は悲劇的になりそうにも感じられますが、むしろ僕は楽観的な未来を想像しています。2011年から2012年にかけて、イスラム諸国で「アラブの春」と呼ばれる民主化運動が起こりました。この運動は、ツイッターやフェイスブックなどの**SNSを通じて【情報】が交換されることで、進行した**と言われています。

かつては独裁者が既存のマスメディアを規制することで、情報統制ができていました。しかし、インターネットを通じて新たな個人間の情報コミュニケーションが生まれることで、情報統制もできなくなったのです。この流れは、世界の帝国化という集合的傾向の裏で、**世界の個人化という拡散的傾向をはらんでいる**ということです。

また、人類のイノベーションは、それこそ僕らの想像を超えて進行してきました。僕が子どもの頃、石油は「あと30年で底をつく」と言われていました。それから30年経ちましたが、底をついていません。いつまでたっても「あと30年」って言われている気がします。石油がまだ底をつかないのは、新たな油田の開発や、シェールガス革命など新たな技術の開発があるからです。

さらに、これから月や火星の探索が本格的に行われると、**宇宙空間で今後画期的な【発見】がなされるかもしれません。**

新たな科学技術が、今までの人類の問題を克服してきました。今すぐ役立つ技術の研究以上に、**地道な基礎科学の研究が未来を作り、新たな物事を発見していく**のです。大事なことは、そんな発見を絶えず行う好奇心と、人類の不断の努力です。

これからは【お金】よりも【芸術と科学】が明るい未来を生む

先講で述べたように、未来の歴史は、情報革命により個人が作るようになります。

個人個人の知性による選択がより重要になると、権力を持つ上からの意志以上に、その人自身が何を体験して何を考えたかの下からの発信が意味を持ってくるのです。

自分の発信したライフスタイルが簡単にアート化、エンターテインメント化します。**【芸術と科学】が、これまで以上に意味を持つ**未来が来るのです。

それは、**今までの「どれだけ【お金】が儲かったか？」ではなく、「どれだけ時間を、何のために使ったか？」という、資本主義から時本主義への移行**です。

また、大衆がまとまることで力を持った20世紀の資本主義から、個々人の知性がそれぞれ輝きを放つ21世紀となった現在は、**それぞれ個人が原子のように活動する原子主義へ移行**していきます。一つ一つの個人＝原子が影響力を発し、それに共感した者たちで新たな共同体を作ります。細分化された個人の知性の集合体＝トライブで動いていく世界です。**大量消費ではなく個々の相互の影響力が求められる時代、「少量共鳴社会」へとパラダイム・チェンジしていく**でしょう。

世界は「ユニバース」から「ダイバース」へ

世界は、英語で直訳すると「ユニバース（Universe）」です。それは一つ（uni）の世界（verse）を意味します。これまで各地域で起こった文明は発展し、歴史を生み出し、近代になって欧米主導のもと世界はユニバースになっていきました。

でも、**世界は本当は「ダイバース（Diverse）」、つまり多元世界**なのです。多様性（diversity）から考えた僕の造語です。一つの価値観にとらわれるのではなく、ある物事を様々な観点から見て判断し、行動する。すると、バラエティに富んだ世界が誕生します。世界はそもそもいろんな場所でそれぞれの歴史を繰り広げてきました。そこで人々は生まれ、育ち、恋に落ち、家族を作り、仲間と一緒に生活しながら、やがて一生を終えて、次の世代にその想いを伝えていったのです。それがまさに歴史なのです。

これからの未来の世界は、個人が作る世界史という概念と重なって、皆さん一人ひとりのいろいろな想いがつながりながら、よりダイバースに向かっていくでしょう。

第25講

人類誕生〜未来／全世界

環境の話

歴史を学ぶとは、
環境を考えることだ。

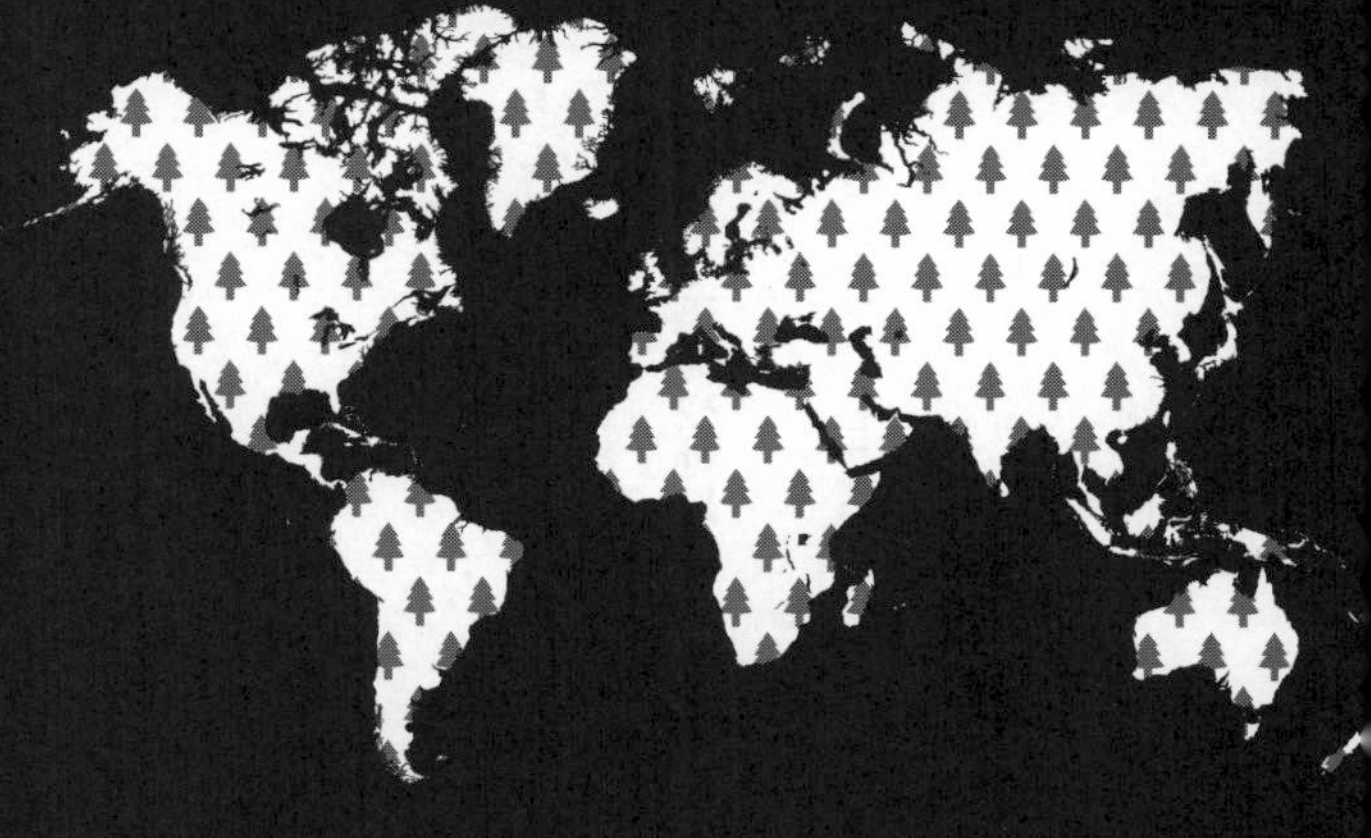

ゴミとは、そもそも何なのか？

今回、本書の文庫化にあたって、新章を追加することにしました。テーマは「環境」。これからの歴史を概観するために、最も重要なキーワードだからです。

世界中の土地には、さまざまな環境の違いがあります。**民族的な差異や地域的な差異は、そんな環境の多様性や地域と国の文化基盤に根ざしています。**

環境の違いとは、山や海、そこに流れる川、さらに湖、砂漠、草原、そこから採れる天然資源等の物理的な違いがあります。さらにその土地に住む人の宗教や文化、農業、住んでいる人の人口、隣国との関係、それらもすべてその地理的な違いから派生して歴史的要因になるのです。

「自然」の対立概念に「人工」がありますね。ちなみに自然は英語でnature。人工は英語でart。つまりかつら・毛髪製品メーカーの〝アートネイチャー〟は、人工の自然って意味なんだなと思うとなかなか本質をついたネーミングだと感心します。

自然とは、なるべく人の手が入ってないもの。人工とは、逆に人が手を加えたもの。そう考えると、**環境とは、自然に人がどれだけ手を入れたものなのかという、それこそアートネイチャーなものなのかもしれません。**

例えば、我々人類が自然環境を脅かす人工物に、ゴミがあります。現代の環境問題を考える上で大切なキーワードですが、まさにゴミは自然物に人が手を加えた人工物の成れの果てとも言えるでしょう。

でも、ゴミってそもそもどう定義づけられるのでしょうか？

あらゆるモノには、それを我々が使う〝使用期間〟と、それが存在に耐えうる〝耐用期間〟があります。

①　**使用期間＝耐用期間**

これだと、ゴミは発生しませんね。とすると、ゴミの定義は、

②　**使用期間＜耐用期間**

となります。このケースのわかりやすい例は、プラスチックです。耐用期間が長い

ので、海洋に放置されると、ずっと残って環境破壊につながります。そしてその耐用期間が途方もなく長いゴミが、核廃棄物というわけです。

では逆だと何になるでしょうか？

③　使用期間＞耐用期間

耐用期間を超えて、使用したい！　それはつまり文化財や美術品です。我々は歴史遺産を、それこそ後世に残そうと努力しますが、アフガニスタンのバーミヤン遺跡、シリアのパルミラ遺跡などは戦争で破壊され、ソウルの崇礼門（南大門）、パリのノートルダム寺院、沖縄の首里城は火災で消失してしまいました。

我々が環境を維持するためには、それこそ①のように使用期間と耐用期間を限りなくイコールにする努力が必要になるわけです。また耐用年数を過ぎた歴史遺産や芸術品を、いかに後世に残していくかというのも我々の使命なのです。

疫病が歴史を動かしてきた

逆に、**環境が我々人類を襲うものに疫病があります。**

2020年から、新型コロナウイルスの世界的な大流行（コロナ・パンデミック）が起こり、世界中でたくさんの死亡者、被害者を生み、経済的・文化的活動に大打撃を与えました。しかし、世界でも日本でも、疫病は多大な損害を、実は昔から人類に与え続けているのです。

例えば200年前の19世紀は、まさにコレラの時代でした。もともとインド・ベンガル地域ガンジス・デルタの風土病だったコレラは、ヒンドゥー教巡礼者の「聖なる移動」とイギリスの植民地化によるグローバル社会の到来で世界中に広まり、パンデミック化します。

コレラ・パンデミックは5回あったと言われます。

●第一次（1817−1824）：インド、中国、日本（江戸時代）
●第二次（1829−1837）：世界的流行病化（江戸時代）
●第三次（1840−1860）：第一波は1840−1850年、第二波は1849−1860年（江戸時代）

●第四次（1863－1875）：地理的には最大の流行となる（幕末、明治時代）
●第五次（1881－1896）：コッホによるコレラ菌の発見（明治時代）

最後の明治期の流行では、1877（明治10）年以降、1895（明治28）年まで、2〜3年ごとに1万人を超える死者を出す大流行を繰り返し、日清・日露戦争の戦死者数（約10万人）を圧倒的に上回る約37万人の犠牲者が出たのです。

その歴史的事実と、2020年のコロナ・パンデミックを重ね合わせてみると、今まで思いもしなかった事実に気付きました。例えば、**作家の夏目漱石（1867-1916）は青春時代をこのコレラ・パンデミックの時代に過ごしている**ことになるのです。「いつ誰がコレラに罹るかわからない、いつ自分もコレラで死ぬかわからない」、そんな死の恐怖は当然彼の作品の死生観へも影響を与えているのではないでしょうか。そしてそれは漱石だけでなく、当時のあらゆる人の想いに影響し、そんな中でその時代の歴史は作られていったのです。

コレラだけでなく、例えばペスト（黒死病）。**14世紀のイングランドでは、ペストが人口の半分を死に追いやり、それにより中世の封建制度を維持するだけの農民の労働**

力が不足し、結果的に封建領主の地位が下がって、農民の地位が向上し始めたのです。

また、病原菌は1492年のコロンブスのアメリカ大陸の発見、また16世紀の大航海時代での旧大陸から新大陸への接触によって拡散されていきました。〝新大陸〟の人たちにとっては未知の病原菌、たとえばインフルエンザ、麻疹、天然痘が一気に蔓延して、先住民社会に壊滅的な影響を与えたのでした。

そして現代は、コロナウイルスの拡散によって、コミュニケーションの非接触化が進んでいます。仕事、日常、エンタメなど様々な領域で、他人とどう物理的に接触しないか、その中でどうやって自分の意思（内心）を他人（外心）に伝えていくかがよりキーになるのかもしれません。そんな「触れ合わない」時代で、「直接会う」ことの希少性がより価値になっていくとも言えます。

それは、ネットがもたらした時代の恩恵とも言えますし、ネットが誕生したから、人とのコミュニケーションもこれからは非接触をメインにしろ！という時代の啓示なのかもしれません。

新しい環境
——メタバースとユニバース

ＩＴ技術の発展の中で、近年よく耳にするのがメタバースです。

そもそもメタバースとは、コンピュータの中に構築される3次元の仮想空間やそのサービスを指すことが多いですが、なんとなく「３Ｄゴーグルを付けて３６０度の映像を楽しむゲームのようなもの」くらいの認識ではないでしょうか？　さらにネガティブな人になると「３Ｄゴーグル付けると酔うんだよね」的な感想を持っているかもしれません。

メタバースの特徴は、大きく分けて2つです。それは**「フロンティア」**と**「シミュレーション」です。**

人類はずっと辺境＝フロンティアを求めて旅を続けてきました。まだ行ったことのない場所を求める、その根源的な好奇心によってアフリカ大陸から数十万年前に人類のグレートジャーニーは始まり、５００年前にコロンブスは新大陸を発見しました。

しかし今、地球上にさらなるフロンティアはもはや存在しません。**これからのフロンティアは、宇宙空間＝ユニバースと、仮想空間＝メタバースなのです。**

つまり人類の好奇心の行き先として、イーロン・マスクは宇宙空間を目指し、ザッカーバーグは仮想空間を目指しているとも言えるのです。この辺境を探検するという好奇心の照射先としてのメタバースでは、まさに想像した世界丸ごとを創造主の如く創造できるのです。これは脳内の世界を現実化できるという意味で、まさに好奇心の赴くままに未知の辺境を旅している、と言えるのかもしれません。

そして、メタバースのもう一つの特徴であるシミュレーション。これは、昨今盛んに叫ばれているサスティナブル（持続可能）な未来に貢献できます。つまり、**以前なら現実世界で実際に開発、生産、交流等をしなければならなかった人間の活動を、メタバースを使うことで事前にシミュレーション＝練習して予想することができるのです。**無駄な開発、生産、交流等を抑えて、資源・環境の乱開発を防ぐことができるというわけです。例えば、ある地域に巨大な高層ビルを建造する前に、いろんな要因（日照問題、交通渋滞、人間の活動量等）をリアルにシミュレーションすることで、想定されなかったさまざまな影響を顕在化させることができます。

フロンティアとシミュレーション、このメタバースの二つの特徴は、宇宙開発と親和性が高いのも興味深いです。宇宙空間＝ユニバースほど、実際に行く前にシミュレーション＝練習が必須な場所はありません。**宇宙空間というフロンティアを目指すためには、ユニバースのメタバースを作って、そこでさまざまなシミュレーションを行うことが求められるのです。**

新しいことを生み出すときには、不安要素が多いことも確かです。順調に進むとは限りません。しかし、メタバースのメタ（meta）とはそもそも「超える」という意味です。メタバースによって、誰もがシミュレーション世界を創れる、想像というフロンティア環境を創造できるのです。

「持続可能な」歴史にするために

本書の第1講で、文明はたまたま起こると述べました。四大文明は全て乾燥地帯で起こりましたが、それはその地域にたまたま乾燥に適した栽培種が繁殖していて、それを農耕するために水が確保できる大河が近くにあったからでした。

また、近年は「地政学」がブームとなり、書籍も数多く刊行されていますが、地政学とは、国際政治を地理的な条件、いわば環境から考察する学問です。地政学の観点から、各国の力関係や戦争・紛争のメカニズムが盛んに議論されています。つまり、**我々の歴史は環境にものすごく左右された上で誕生し、今なおものすごく左右されている**、ということです。

では、そのようにして**環境に大きく影響を受けてきた我々の国家とは、どのようにして終わりを告げるのか？** 本書の最後に、国家の終焉について考えてみましょう。

『国家はなぜ衰退するのか』（ダロン・アセモグル&ジェイムズ・A・ロビンソン著、鬼澤忍訳、早川書房）では、衰退する国家と、発展する国家の違いが解説されています。

そこでは**「収奪的な政治・経済制度」を選んだ国家は衰退し、「包括的な政治・経済制度」を選んだ国家は発展する**と書かれています。収奪的な政治・経済制度が導入されている国家は、時の少数の権力者が利益を独占し、民衆から労働と富を奪う傾向が顕著です。一方、包括的な政治・経済制度が行われている国家は、民衆への利益の分配とイノベーションへのモチベーションを高める傾向が顕著です。

収奪的な政治・経済制度を選択した国家が衰退する一因は、長期的な持続性の欠如にあります。収奪的な制度は一部の特権階級やエリートが国家の資源や富を独占し、他の人々や産業の発展を阻害する傾向があります。これにより、社会の活力や創造性が抑制され、経済成長まで阻害されるのです。

一方で、包括的な政治・経済制度を選択した国家では、より公正で透明な社会構造が促進され、法の支配、民主的なプロセス、財産権の保護、市場競争が推し進められます。これらの要素が相互に補完し合い、投資やイノベーション、経済活動が活性化されるのです。

また、包括的な制度は社会の安定性を高め、人々の信頼と安全を確保する傾向があります。このような環境では、企業や個人が長期的な計画を立て、成長を追求しやすくなります。その結果、**経済成長や社会的発展が進んで、国家全体の繁栄につながるのです。**

収奪的な制度は一部の特権階級やエリートの利益を優先し、社会全体の発展を妨げる一方で、包括的な制度は公正さと透明性を重視し、広範な参加と成長を促進します。そのため、包括的な政治・経済制度を採用する国家が、長期的な発展を達成する傾向があるのです。

歴史上、収奪的な政治・経済制度と、包括的な政治・経済制度の対比は多く見られます。

●収奪的な政治・経済制度の例

ソビエト連邦は、共産主義の下での集権的な政府が経済を支配し、個々の市民の権利や自由を制限しました。経済は国有化され、中央政府が経済計画を立て、資源の配分を行いました。しかし、この制度はイノベーションを妨げ、資源の無駄遣いや経済の停滞を引き起こしました。

●包括的な政治・経済制度の例

スウェーデンは、包括的な福祉国家制度を採用し、広範な社会的保護、教育、医療、公共インフラを提供しています。この制度は経済的な格差を縮小し、社会の安定性と経済成長を促進しました。また、政治的には民主的なプロセスが進み、市民の権利と自由が保護されています。

●収奪的な政治・経済制度→包括的な政治・経済制度への移行の例

1970年代初頭、チリは、アウグスト・ピノチェト将軍率いる軍事クーデターによって収奪的な独裁政権が樹立されました。この期間には経済の民営化や市場開放が進められましたが、格差や不平等が拡大し、社会不安が高まりました。その後、民主化が進み、包括的な政治・経済制度が復活しました。現在のチリは、民主的なプロセスと市場経済を組み合わせたモデルを採用し、経済成長と社会的発展を実現しています。

これらの例は、政治・経済制度が国の発展に与える影響を示すものです。収奪的な制度はしばしば衰退や不安定性をもたらし、一方で包括的な制度は持続可能な発展と繁栄をもたらす傾向があります。

個人、会社、社会、国家……昨今の私たちを取り巻くあらゆるレイヤーは、どんどん収奪的な方向に向かっているのではないかと私自身は危惧しています。それは、歴史の中で施政者・権力者が行ってきた収奪的行為が、今や情報化・ソーシャルメディア時代の中で、個人それぞれが利己的に容易く行えるようになったことに起因していると思われます。

私たちが歴史から学ぶべきこととは何でしょうか。

環境にはじまり、環境に影響され続けてきた私たちの歴史を、これからも持続可能なものにするために——必要なのは、**私たちの環境を、収奪的ではなく、いかに〝包括的に〟維持していくか**ではないかと思います。

世界史を学ぶということは、私たちの環境を考えることでもあるのです。

おわりに〝日本史の話〟

——●「世界史」の中の「日本史」

『最速で身につく世界史』、皆さんいかがでしたでしょうか？「はじめに〝世界史の話〟」で述べましたが、世界史とは全ての歴史が含まれるので、当然日本史も含まれています。つまり、各講の記述であった日本に関するところを拾うことができます。こうすると、世界の中での日本の立ち位置がはっきり見えてきます。実際に、やってみましょう。

●食糧を求めて人類は狩猟・採集をしながら旅を続けました。そして行き着いた先がすごく温暖で湿潤で、もう食糧がいっぱいだったらどうでしょうか？《中略》そういう快適な場所が、まさに我らが〝日本列島〟でした。日本ではこの時期に独自の文明が起こらず、縄文時代が紀元前2世紀頃という比較的新しい時代まで長く続いたのは、恵まれすぎた環境だったからなのです。（第1講「文明の話」）

●中国北部（華北）に夷狄の国が次々と起こったため、漢民族はそれを避け、中国南部の長江流域（華南）の開発や朝鮮半島、日本列島への移住も進みました。この時期、日本には漢字と仏教が伝播し、結果的に中華世界の南東への拡大につながりました。（第9講「征服の話」）

●実は日本人自身も、その中華世界の仕組みに乗っかっていたからです。そのシステムは隋の7世紀以降完成し「冊封体制」と呼ばれますが、それ以前にも日本（倭の国）の奴国も邪馬台国も、中国の天子からの認証を求め続けました。（第7講「中華の話」）

●聖徳太子は《中略》遣隋使を送りました。「自分たちの天皇は中国の皇帝と対等だ」と伝えた書簡だったという説もありますが、日本も正式に、中華世界の冊封体制に自ら組み込まれます。（第9講「征服の話」）

●平城京のある奈良はシルクロードの一番東端と言われています。そのため、東大寺の正倉院には遠くペルシアからの交易品が収蔵されているのです。ただ日本は、《中略》島国であるため朝鮮ほど中華の影響や支配をもろに受けませんでした。《中略》日本は独自の文化を熟成するに至ります。《中略》中心からやってきた文化やシステムを独自に改変していくのが日本なのです。（第10講「周縁の話」）
●政教分離のため権力を分け合う行為、または統一するという行為が世界史では、西欧でも中国でも、各所で繰り返し見受けられます。日本の中世に、貴族の警護で雇っていた武士が、朝廷から征夷大将軍の称号をもらい幕府を開いて政治権力を握ったことも同様です。（第6講「商人の話」）
●ヴェネツィア人のマルコ・ポーロもそのネットワークを使って元の大都まで訪れ、『東方見聞録』を著し、「黄金の国ジパング」という名で日本をヨーロッパに紹介したのでした。（第9講「征服の話」）
●1543年には戦国時代の日本の種子島に銃が到来し、1549年にはカトリックの宣教師フランシスコ・ザビエルがキリスト教を日本に伝えました。日本人は鉄砲とキリスト教を発見した、いや……発見させられたのです。（第11講「発見の話」）
●織田信長が劇的なシステム改変を提唱し、豊臣秀吉がシステム改変を実際に行い、やがて徳川家康が適度に調整して江戸幕府のシステムを完成させ、その後250年余りの平和な時代を築いたことと重なります。（第7講「中華の話」）

●江戸時代に大坂で始まったコメの先物取引では、当時流通していた貨幣の何倍もの取引が行われていました。将来のコメの買取権を定めた証書という情報が取り引きされれば、実際の貨幣が手渡しされる必要などないからです。（第23講「情報の話」）

●困ったことにこの（朱子学の）思想は、後の中国の歴代王朝、朝鮮、江戸時代の日本に採用され、過度の影響を与えてしまったようです。東アジア文化圏特有の権威主義や事大主義、社会の硬直化や閉鎖的構造の要因となります。現代の日本や韓国の度を越した学歴社会や偏差値偏重などの遠因であるとも言えます。（第9講「征服の話」）

●科学がやってきたことで、江戸時代の鎖国を抜け出して日本は開国したのです。日本の鎖国を打ち破った切り込み隊長は、ペリーが乗ってきた黒船。蒸気機関で動く船でした。まさに当時の科学の粋を集めて作られた「技術」を目の当たりにした江戸時代の人々は、度肝を抜かれ明治維新という歴史が動いたのです。（第12講「芸術と科学の話」）

●日本の江戸時代は、基本的に金銀銅の三貨制でした。江戸を中心とする東日本では金が流通し、大坂中心の西日本では銀が主に流通していました。でもその金と銀の交換レートが世界の基準レートとは異なっていたため、幕末に黒船がやってきて通商が始まると、その価値の違いから日本の富の流出と混乱が起こり、明治維新の要因になるのです。(第22講「お金の話」)

●将軍が政治権力を天皇に返還する形で江戸幕府は終了し、過去の天皇制を改変して、国民国家に変貌したのが明治維新でした。過去との断絶が革命だとすれば、過去との継承が行われた日本の明治維新は「革命＝Revolution」ではなくて「改革＝Reformation」なのです。そういう意味では、日本では革命が起こったことがありません。《中略》急激な変革と断絶を好まず、むしろゆっくりと順を追って変わり続け進化することを好む。これが、日本という国民国家の特質なのです。(第16講「革命の話」)

●全国で法律、文字、通貨、度量衡の統一が行われました。これも19世紀に明治維新以降、日本が行った施策とかなり重なります。(第7講「中華の話」)

●明治維新により天皇の下でアジア初の国民国家に統合された日本などが助っ人という名目で、侵略を次々に始めます。(第18講「統合の話」)

●日清戦争（1894〜1895年）では清に勝利し、台湾を領有します。続いて、イギリスによるロシア南下政策阻止の代理戦争という側面もある、満州の勢力争いで日露戦争（1904～1905年）に勝利し、1910年には朝鮮を併合します。世界史への日本の本格的登場です。（第19講「分割の話」）

●島国であるがゆえの優位性は、日本についても同様のことが言えます。なにせ日本の本土を侵略できたのは、鎌倉時代の元寇と太平洋戦争時のアメリカ軍など、非常に限られますから。（第17講「産業の話」）

●日清戦争では中国を破り、日露戦争でロシアを破り、アジアで唯一の列強、すなわちアジアの盟主ということです。さらには、近代戦争で初めて白人に勝った黄色人……、これらのプライドが、20世紀初頭に日本人の中に育まれていきます。（第20講「戦争の話」）

●中国に最も積極的に介入したのが、皮肉にも同じアジアの国・日本でした。日本は1931年に南満州鉄道を爆破する柳条湖事件を起こし、それが中国側の仕業であると主張し、軍事行動を起こして中国東北部（満州）を軍事的に制圧します。満州事変です。その翌年には、ラストエンペラー・愛新覚羅溥儀を担ぎ上げて満州国を建国しました。さらに1937年には、日本と中国の軍隊が衝突する盧溝橋事件を起こし、ついに日中戦争が始まります。（第20講「戦争の話」）
●ドイツと組んで欧米主導のアジア秩序の反転を目指した日本が1941年からチャレンジした第二次世界大戦です。（第20講「戦争の話」）
●日本人の世界史における二面性はとても重要です。アジア人として白人たちに負けないという「下から目線」のプライドを全世界に向けて標榜しつつ、第二次世界大戦の最中に欧米諸国の秩序を変更させるべく太平洋戦争を起こしました。その思いはやがて、アジア人の独立への希望を呼び覚まさせます。しかし一方で、アジアの中では、「上から目線」で自らの優越性を意識して、朝鮮、中国、東南アジアを支配下に置こうと企てるのです。《中略》やがてアメリカの物量に負け、沖縄戦、各都市の空襲、広島・長崎の原爆攻撃により、1945年8月15日に終了します。日本の野望もドイツと同じく、アメリカに挫かれたのでした。（第20講「戦争の話」）
●原爆が使用された当事者の日本は、皮肉なことかもしれませんがその恩恵に預かったのか、1945年以来現在まで戦争をしていません。でもそれは、僕たちが戦争を他人事ですませていたとも言えるのです。（第20講「戦争の話」）
●日本の場合は、国の代表者は天皇陛下で、当時は台湾と朝鮮を支配していましたので「大日本帝国」でした。第二次世界大戦に敗れ、天皇は少なくとも皇帝ではなくなります。《中略》日本国憲法には「天皇は日本国民の象徴」である、と書いてあります。象徴というのは、代表でありながら権限はないということを言い換えているのでしょうが、王国を名乗るわけにもいかず、何となく国の代表者もぼかして、「えーい、よくわからんから〝国〟でいいや。〝国〟だけ付けとこう！」ということで日本国になっているのだと思うのです。（第13講「国家の話」）

●敗戦国日本は1ドル＝360円と決められました。円は丸だから360度ということで、360でいいだろうと安易に決められたらしいです……。それくらい円の価値はなくなっていた、つまり日本の信用はなかったのです。（第22講「お金の話」）

●もともと熱帯性植物だったコメが、今や北海道が一大産地になっています。リンゴやそばの生産地はだいぶ北に移動していて、ゆくゆくは本州での生産が厳しくなるとも言われています。（第24講「未来の話」）

●（原理主義は）ヨーロッパ、日本を含めアジア、アメリカの各国内でも起きています。貧富の差が拡大し、弱者側の右傾化と言われる外国人排斥や難民問題、民族対立などの民族主義的動きが顕著になっています。（第24講「未来の話」）

●未来の選択で揺れているのが、日本の今置かれている状況なのです。近年の日中関係の緊張化や日米安保条約改正に、それが如実に表れているのではないでしょうか。日本はかなり大きな国民国家で、均一で統制がとれた市場規模があり、経済大国として成立していました。それゆえ、上部構造の帝国という枠組みを持っていません。そのため今、未来の日本はどの帝国内に内包されるか?・(されたいか?・)という選択を迫られているのです。（第24講「未来の話」）

●今、日本で改正問題の議論が沸き起こっている「憲法」とは、そんな国家と国民が交わした最上位の約束です。なので僕たち自身が、僕たちの意思で国家と約束する必要があります。（第14講「約束の話」）

僕たちの国、日本を世界史の中で見てみるだけで、いろいろ気付かされることがあります。そしてそれを自分の人生に当てはめて考えてみる。それが歴史を身につけることの意義なのです。

この本では、僕が今まで見聞きして得た知識の中から、大まかな世界史の流れを述べただけなので、解説があやふやだったり、不十分だったりする部分も多いです。あえて参考文献を載せなかったのも、そのためです。世界史にはわかりやすい解説書や面白い著作がたくさんあります。本書で世界史の考え方のエッセンスを学んだ方は、ぜひ他書もお読みください。そして今岐路に立たされている〝現代〟という時代を、自分の知性で判断していただきたいです。様々な見解があるからこそ、世界史は面白いのです。

最後に、この本の出版を導いてくれた、アスコムの高橋克佳さん、柿内尚文さんをはじめアスコムの方々、資料を整理してくださった青木康洋さん、編集してくださったアスコムの杉浦博道さんに感謝を捧げたいと思います。本当にどうもありがとうございました。

歴史は繰り返すが、同じことは二度と起こらない!
なぜなら、世界史とはあなたの人生でもあるからなのです。

角田陽一郎

文庫版あとがき

２０１５年に出版して好評を博した『最速で身につく世界史』が、今回、文庫化の運びとなりました。その間に、２０１７年にはアメリカではトランプ現象が起き、２０１９年には平成から令和になり、２０２０年にはコロナ・パンデミックが世界中で蔓延し、２０２２年にはロシアがウクライナに侵攻し、安倍晋三首相が凶弾に倒れ、２０２３年にはパレスチナのガザ地区でイスラエルの侵攻が起き、現在も続いています。

そんな世界の出来事に呼応するかのように著者である私も、長年勤めたＴＢＳテレビを２０１６年末で退職し、２０１７年からフリーのバラエティプロデューサーになり、いろんなコンテンツを作りながらも、２０１９年には東京大学大学院で文化資源学を学び始め、コロナ禍の中２０２０年には父が他界し、東京を離れてアトリエを持ち、今年２０２４年４月からは江戸川大学メディアコミュニケーション学部の教授の任にも就きました。歴史とは、過去の遺物などではなく、そして自分と関係ない世界の出来事ではなく、まさに現在の自分たち一人ひとりの人生と連関して積み重なっていく今、その瞬間の連続であることを実感します。

そんな中で、自分はいつも考えています。未来とは明るいのか？

子どもの頃は、どんどん人類は進化して、文明も発展して、平和になって、明るい未来が待っていると思っていました。過去の経験も重なって、人類の歴史も重なって、そこには模範解答はあるし、反面教師もあるし、色々フィードバックして先人に学んでいけば、未来が悪くなるはずがないと思っていました。

でも、最近の状況を見ると、どんどん悪くなっていると感じてしまいます。

そんな世界では、未来は明るいというより、過去の方が明るかったと感じてしまいます。未来より過去の方が明るいと感じる理由は3つあります。

A. 本当に過去の方が良かった（のかもしれない）から

B. 自分が老化してきて、未来の方が劣化していると感じるから

C. 過去が思い出として美化されてしまうから

現在、未来が暗いと思ってしまうのは、この3つのうちどれが理由なのか、自分で

はわかりません。2つかもしれませんし、3つとも当てはまっているのかもしれません。

なので、本当に未来を明るいものにするために、まずCを払拭して捉え直してみることから始めてみようと思います。それには、歴史へのノスタルジアからの脱却が必要です。厳密に言えば、懐かしむ気持ちは捨て去る必要はありません。そうではなくて、その懐かしさと、未来とをつなげて考えないということです。

つまり、歴史を捉えるというのは、歴史という過去を絶対視したり、盲目的に肯定（あるいは否定）することではなく、現在を、過去を、未来を、それぞれの視点からspect（＝見る）することが大切です。“spect”が含まれる単語には、現在、過去、未来が揃っています。

見方（perspective）現在をどう眺めるか？
回顧（retrospective）過去をどう眺めるか？
見込み（prospective）未来をどう眺めるか？

第25講でも述べたように、我々の思考と行動にとってこれから大切なことは、独りよがりにならず、他者の思考を受け入れ、他者の行動を理解する〝包括性〟です。それが他者への敬意（respect）につながります。

ヒト・モノ・コトに対する自分の見方を育み、過去を回顧し、未来を見込む。それこそが、これからの未来の歴史を創る私たちにとって、大切なことなのだと思うのです。

2024年4月、海の町のアトリエにて　角田陽一郎

角田陽一郎（かくた・よういちろう）
1970年千葉県生まれ。東京大学文学部西洋史学科卒業後、TBSテレビ入社。TVプロデューサー・ディレクターとして『さんまのスーパーからくりTV』『中居正広の金曜日のスマイルたちへ』『EXILE魂』『オトナの！』など主にバラエティ番組を制作。〝バラエティ思考〟を提唱し、映画『げんげ』監督、音楽フェスティバル開催、アプリ制作、舞台演出など、あらゆる案件をバラエティ・プロデュースしている。現在、東京大学大学院人文社会系研究科・文化資源学研究専攻文化経営学の博士課程に在籍中。2024年より江戸川大学メディアコミュニケーション学部教授。
著書に『「好きなことだけやって生きていく」という提案』、『人生が変わるすごい「地理」』、『教養としての教養』、『どうしても動き出せない日のモチベーションの見つけ方』など多数。

本作品はアスコムより二〇一五年十二月に刊行された『「24のキーワード」でまるわかり！ 最速で身につく世界史』

だいわ文庫

人類誕生《じんるいたんじょう》から未来《みらい》まで一気読《いっきよ》み！
最速《さいそく》で身《み》につく世界史《せかいし》

著者 角田陽一郎《かくたよういちろう》

二〇二四年六月一五日第一刷発行

発行者 佐藤靖
発行所 大和《だいわ》書房
東京都文京区関口一−三三−四 〒一一二−〇〇一四
電話 〇三−三二〇三−四五一一

フォーマットデザイン 鈴木成一デザイン室
本文デザイン 小口翔平＋青山風音(tobufune)
本文図版 マーリンクレイン
本文印刷 光邦 カバー印刷 山一印刷
製本 ナショナル製本

ISBN978-4-479-32094-4
乱丁本・落丁本はお取り替えいたします。
https://www.daiwashobo.co.jp